La nuit de l'indigo

Le présent ouvrage est le premier titre de la collection
« Les nouvelles étrangères »
dirigée par Tony Cartano

Satyajit Ray

La nuit de l'indigo
et autres nouvelles

Traduit de l'anglais
par Eric CHÉDAILLE

Presses de la Renaissance

37, rue du Four
75006 Paris

Si vous disposez d'un Minitel, vous pouvez vous informer à tout moment sur les livres que nous publions.
Il vous suffit de composer le 36-15, code **JET 7.**

Si vous souhaitez recevoir notre catalogue et être tenu régulièrement au courant de nos publications, envoyez vos nom et adresse en citant ce livre aux

Presses de la Renaissance
37, rue du Four 75006 Paris

et pour le Canada à

Édipresse
5198, rue Saint-Hubert
Montréal H2J 2Y3

Titre original : *Stories*, publié par Martin Secker et Warburg Ltd, Londres.

© 1987, Satyajit Ray.
© 1987, Presses de la Renaissance, pour la traduction française.
ISBN 2-85616-432-3   H 60-3486-2

PRÉFACE

En 1913, mon grand-père Upendrakisore Ray lança un mensuel pour la jeunesse intitulé *Sandesh*. Sandesh est le nom d'une confiserie bengali fort populaire, mais ce mot signifie également « information ». Doué d'un formidable talent d'écrivain pour enfants, Upendrakisore Ray avait déjà publié un délicieux recueil de contes populaires bengalis ainsi qu'une version destinée aux enfants de deux célèbres épopées hindoues, le *Ramayana* et le *Mahabharata*. Il avait lui-même magnifiquement illustré ces trois livres publiés, de même que le magazine, par sa propre maison d'édition, U. Ray & fils ; mon grand-père était un photograveur de grand talent.

Upendrakisore Ray mourut en 1915, six ans avant ma naissance. Au cours des deux années où il fit paraître *Sandesh*, il en remplit les pages de récits, d'articles et d'illustrations. A sa mort, son fils aîné, mon père Sukumar Ray, prit la relève. Sukumar Ray possédait lui aussi des dons uniques d'écrivain pour enfants et d'illustrateur comique. En plus de textes scolaires, de pièces et d'articles, il écrivit pour le magazine une suite de poèmes amphigouriques qui figurent aujourd'hui en bonne place dans la littérature bengali.

Sandesh cessa de paraître quatre ans après la mort de mon père. Peu de temps passa avant que U. Ray & fils cesse à son tour ses activités. Ma mère et moi allâmes nous installer chez mon oncle maternel où je grandis, achevai mes études et, en 1943, entrai comme concepteur visuel dans une agence de publicité britannique. Je n'avais aucun penchant littéraire, et n'envisageais nullement d'écrire un jour des nouvelles. A part la publicité, je m'intéressais au cinéma, quoique la première me parût plus sûre en tant que profession. Je lui consacrai une douzaine d'années avant de l'abandonner pour affronter les aléas d'une carrière cinématographique.

C'est en 1961, alors que j'avais déjà derrière moi plusieurs longs métrages, qu'avec un poète de mes amis j'eus tout à coup l'idée de faire revivre *Sandesh*. Le projet devint bientôt réalité. Le premier numéro du nouveau *Sandesh* sortit en mai 1961 pour la nouvelle année bengali, le jour de mon quarantième anniversaire. En tant que codirecteur, j'eus le sentiment qu'il me fallait y collaborer, et signai une version bengali de *The Jumblies* d'Edward Lear. Le second numéro de *Sandesh* comportait ma première nouvelle, que j'avais également illustrée. Depuis lors, je n'ai cessé d'écrire et de dessiner pour *Sandesh*, qui a célébré cette année son vingt-cinquième anniversaire.

Certaines de mes nouvelles témoignent de mon goût pour Jules Verne, H.G. Wells et Conan Doyle, que je lisais dans mon enfance. Le professeur Shonku, savant et inventeur, peut être vu comme une version édulcorée du professeur Challenger, lorsque son amour de l'aventure le conduit dans les coins les plus reculés de la planète. Quatre de ses aventures figurent dans ce recueil. Je ne pense pas que les autres nouvelles figurant dans ce volume soient nées d'une influence bien précise. On y trouve des histoires que je dirais « naturalistes », mais aussi des contes qui font la part belle au fantastique et au surnaturel, domaines pour lesquels je ressens une fascination toute particulière.

J'aime en soi écrire des nouvelles, j'en tire un plaisir très différent de celui que me vaut le travail infiniment plus complexe que nécessite le tournage d'un film. Il m'est arrivé d'écrire des nouvelles aussi bien pendant la réalisation d'un film que pendant le temps mort — qui dure habituellement autour de six mois — entre deux films.

S.R.

Khagam

Nous dînions à la lumière de la lampe à pétrole. Je venais de prendre des œufs au curry quand Lachhman, le cuisinier et tenancier de l'auberge, demanda : « N'allez-vous pas faire une petite visite à Imli Baba ? »

Je ne pus que lui répondre que, comme nous n'avions jamais entendu prononcer son nom, la question d'aller voir cet Imli Baba ne s'était pas posée. Lachhman dit que le chauffeur de la jeep des Eaux et Forêts, engagé pour la durée de l'excursion, nous conduirait jusqu'au Baba si nous le lui demandions. La cabane du Baba se trouvait en pleine forêt et les environs étaient assez pittoresques. Ce saint homme paraissait tenu en grande estime ; des gens très importants venaient de toute l'Inde lui témoigner leur révérence et recevoir sa bénédiction. Ma curiosité fut véritablement éveillée lorsque j'appris que le Baba avait un cobra royal, qui vivait dans un trou près de la hutte et se présentait à lui chaque matin pour boire du lait de chèvre.

Dhurjati Babu* fit observer que la contrée grouillait de soi-disant saints hommes. Plus fleurissaient à l'Ouest les lumières de la science, plus nos compatriotes étaient enclins à la superstition. « C'est une situation sans espoir, monsieur. Cela me met en colère rien que d'y penser. »

---

* Babu placé après un patronyme équivaut à Monsieur (NdA).

Sur ces mots, il se saisit de la tapette à mouches et l'abattit avec précision sur un moustique qui s'était posé sur la table. Approchant de la cinquantaine, Dhurjati Babu était un petit homme pâle, avec des traits accusés et des yeux gris. Nous avions fait connaissance à l'auberge de Bharatpur ; j'étais venu par Agra, avant de me rendre à Jaipur chez mon frère aîné auprès duquel je devais passer quinze jours de vacances. Le Tourist Bungalow et le Circuit House étant bondés, j'avais dû me rabattre sur l'auberge de la Forêt. Je n'en avais d'ailleurs nul regret, car le séjour en forêt offre un plaisir particulier allié à une grande tranquillité.

Dhurjati Babu m'y avait précédé d'une journée. Partageant la jeep des Eaux et Forêts, nous partions ensemble en excursion. La veille, nous étions allés à Deeg, à trente-cinq kilomètres vers l'est, pour voir la forteresse et le palais. Le matin même, nous nous étions rendus à la forteresse de Bharatpur, et, après le déjeuner, nous avions poussé jusqu'au sanctuaire aux oiseaux de Keoladeo. C'est là quelque chose d'unique : dix kilomètres de marécages parsemés de minuscules îlots où des oiseaux étranges viennent des quatre coins du globe faire leur nid. Tandis que je m'absorbais dans la contemplation de ces oiseaux, Dhurjati Babu ronchonnait, s'efforçant vainement de chasser les minuscules insectes qui nous vrombissaient autour de la tête. Ces *unkis* ont l'habitude de venir se plaquer sur votre visage, mais sont si petits que la plupart des gens arrivent à les ignorer. Pas Dhurjati Babu.

Achevant notre dîner vers les huit heures et demie, installés sur la terrasse dans nos fauteuils de rotin, nous contemplions les beautés de la forêt sous le clair de lune. « Ce saint homme dont parlait l'aubergiste, dis-je, si nous allions le voir ? »

Dhurjati Babu jeta son mégot de cigarette en direction d'un eucalyptus et répondit : « Un cobra royal, cela ne s'apprivoise pas. Les serpents, je connais. J'ai grandi à Jalpaiguri, et j'en ai tué autant comme autant. Le cobra royal est le serpent le plus rusé et le plus dangereux qui soit. Aussi cette histoire de saint homme et de lait de chèvre est-elle à prendre avec un grain de sel.

— Nous allons voir la forteresse de Bayan demain matin. Nous n'avons rien de prévu pour l'après-midi.

— On dirait que vous placez beaucoup de foi en ces saints hommes, je me trompe ? »

Le caractère acerbe de la question ne m'avait pas échappé. Je répondis toutefois sans détours.

« La question de la foi ne se pose pas, puisque je n'ai jamais rien eu à voir avec aucun de ses semblables. Mais je reconnais que celui-ci m'intrigue un peu.

— Il m'est arrivé à moi aussi d'éprouver de la curiosité pour ce genre de personnage. Mais après ce que m'a valu la fréquentation de l'un d'eux... »

J'appris que Dhurjati Babu souffrait d'hypertension. Un de ses oncles l'avait persuadé d'essayer un remède prescrit par un ermite. Il s'était exécuté pour en récolter de violentes douleurs à l'estomac. Cela lui avait encore fait monter la tension. Depuis ce jour, il considérait quatre-vingt-dix pour cent des saints hommes de l'Inde comme des charlatans.

Trouvant cette allergie plutôt plaisante, je dis, dans le seul but de le provoquer : « Vous dites qu'on ne peut apprivoiser le cobra royal ; il est certain que des gens comme nous en sont incapables, mais j'ai entendu parler de sadhus qui dans l'Himalaya partagent leur caverne avec des tigres.

— Vous l'avez peut-être entendu dire, mais l'avez-vous vu, de vos yeux vu ? »

Force me fut d'admettre que non.

« Et vous ne le verrez jamais, reprit Dhurjati Babu. Ce pays est celui des invraisemblances. On y entend sans cesse parler d'événements étranges, mais jamais on n'en voit un par soi-même. Tenez, prenez notre *Ramayana*, ou encore le *Mahabharata**. On les dit historiques, quand il ne s'agit en fait que d'un tissu d'extravagances. Le Ravana à dix têtes, le dieu-singe Hanumana incendiant une ville entière avec la flamme qui jaillit du bout de sa queue, l'appétit de Bhima, Ghatokacha, Hidimba, le char volant Pushpaka, Kumbhakarna... conçoit-on choses plus absurdes ? Et toutes ces épopées regorgent de charlatans. C'est là que tout a commencé. Et pourtant tout le monde, même les gens évolués, n'y voit que du feu. »

Ayant visité la forteresse de Bayan, nous prîmes notre déjeuner dans une auberge, puis, après un temps de repos,

---

* Les deux grands poèmes épiques de l'Inde *(NdA)*.

nous atteignîmes l'ermitage du saint homme aux environs de quatre heures. Dhurjati Babu ne fit pas d'objection à ce détour. Peut-être le Baba lui inspirait-il à lui aussi quelque curiosité. L'ermitage se trouvait dans une clairière, sous un énorme tamarinier, d'où ce nom d'Imli Baba dont l'avaient baptisé les gens du pays, *imli* signifiant tamarinier en hindi. Nul ne connaissait son vrai nom.

Sous une hutte en palmes de dattier, le Baba était assis sur une peau d'ours en compagnie d'un seul disciple. Si ce dernier était plutôt jeune, il était en revanche impossible d'évaluer l'âge du Baba. Une heure, peut-être, nous séparait du crépuscule, mais l'épaisseur du feuillage plongeait l'endroit dans la pénombre. Un feu brûlait devant le Baba, qui avait à la main une pipe à *ganja**. Les flammes éclairaient un fil à linge tendu d'un mur à l'autre, sur lequel reposaient une serviette, un pagne et une douzaine de dépouilles de serpent.

« Ne tournons pas autour du pot, me souffla à l'oreille Dhurjati Babu ; demandez-lui à quelle heure le serpent vient manger.

— Vous venez voir Balkishen ? » fit le Baba en souriant derrière sa pipe, comme s'il avait lu dans notre esprit. Din Dayal, le chauffeur de la jeep, nous avait dit peu avant que le serpent s'appelait Balkishen. Nous dîmes au Baba que nous avions entendu parler de son serpent et que nous avions grande envie de le voir boire son lait. Était-il possible que notre souhait fût exaucé ?

Imli Baba secoua tristement la tête. Il nous dit que Balkishen venait chaque soir à son appel, et qu'il était d'ailleurs venu l'avant-veille. Mais que depuis la veille il n'était pas bien. « Ce soir, c'est la pleine lune, dit encore le Baba, aussi il ne viendra pas. Mais il viendra sûrement demain soir. »

Que les serpents pussent être indisposés était pour moi une révélation. Mais après tout, pourquoi pas ? N'était-ce pas d'un serpent apprivoisé qu'il s'agissait ? N'existait-il pas des cliniques pour chiens, pour vaches et pour chevaux ?

Le disciple du Baba nous donna de plus amples informations : tandis qu'il dormait, des fourmis rouges

---

* Marijuana *(NdA)*.

14

s'étaient introduites dans le trou du serpent et s'étaient mises à le harceler. Baba les avait exterminées en leur jetant un sort. A ces mots, Dhurjati Babu m'adressa un regard entendu. Je me tournai vers le Baba. Avec sa robe safran, ses longs cheveux emmêlés, ses boucles d'oreilles en fer, ses colliers de *rudraksha* et ses amulettes de cuivre, rien ne l'eût distingué d'une foule de ses semblables. Pourtant, dans la lumière parcimonieuse du couchant, je n'arrivais pas à détacher le regard de cet homme sur sa peau d'ours.

Nous voyant danser d'un pied sur l'autre, le disciple sortit deux nattes de roseau qu'il déposa sur le sol devant le Baba. Mais à quoi bon s'asseoir puisque nous n'avions aucun espoir de voir le serpent domestiqué ? Si nous tardions, il faudrait rouler de nuit à travers la forêt, et nous savions pour avoir vu à l'aller des troupeaux de cerfs que les animaux sauvages y foisonnaient. Nous décidâmes de repartir. Nous nous inclinâmes devant le Baba qui nous salua de la tête sans retirer sa pipe de sa bouche. Nous partîmes vers la jeep, laissée à quelque deux cents mètres sur la route. Quelques minutes plus tôt, les environs retentissaient encore du chant des oiseaux revenant se percher pour la nuit. A présent, tout était silencieux.

« Nous aurions au moins pu demander à voir le trou dans lequel vit ce serpent, fit Dhurjati Babu au bout de quelques pas.

— Inutile de retourner voir le Baba, dis-je. Notre chauffeur, Din Dayal, a dit qu'il avait déjà vu ce trou.

— C'est juste. »

Din Dayal sortit de la voiture et nous montra le chemin. Au lieu de repartir en direction de la hutte, nous nous engageâmes sur un étroit sentier qui aboutissait à un fourré. Les décombres qui entouraient ce roncier donnaient à penser qu'il y avait jadis eu là un édifice de quelque nature. Din Dayal nous dit que le trou se trouvait au cœur du fourré. On le distinguait à peine dans la pénombre. Dhurjati Babu tira de sa poche une petite lampe-torche et en braqua le faisceau sur l'entrée du trou. Qu'allait faire le serpent ? Allait-il sortir dans le seul but de montrer son museau à une paire de touristes curieux ? Pour être tout à fait honnête, si j'eusse volontiers regardé le Baba lui donner sa pitance, je n'avais en revanche nul désir de le voir maintenant sortir de son trou. Mais mon compagnon semblait dévoré de curiosité. Voyant que le faisceau de sa torche restait sans effet, il se mit à faire pleuvoir sur le fourré des mottes de terre.

Jugeant que cela prenait des proportions exagérées, je lui fis part de mon étonnement : « Que vous arrive-t-il ? Vous semblez décidé à faire sortir ce serpent, alors que vous refusiez de croire même à son existence.

— Je n'y crois toujours pas, fit Dhurjati Babu en ramassant une imposante motte de terre. Si cela ne le tire pas de son trou, je saurai que tout ceci n'est qu'une histoire abracadabrante de plus. Plus on rétablit la vérité, mieux c'est. »

Le projectile atterrit avec un bruit sourd, détruisant au passage tout un amas de ronces. Dhurjati Babu braquait à nouveau le faisceau de sa lampe sur l'entrée du trou. Pendant plusieurs secondes, on n'entendit que le silence, à travers lequel un criquet solitaire se mit à chanter. Puis un autre bruit survint, sorte de sifflement sourd, atone. On entendit un bruissement de feuilles, et le faisceau de la torche révéla une forme noire et luisante qui se glissait lentement hors du trou.

A présent, des feuilles remuaient à la base du fourré ; l'instant d'après, elles s'écartèrent pour laisser passer la tête d'un serpent. La lumière révélait ses yeux luisants et la langue fourchue qu'il dardait et rentrait sans relâche. Cela faisait déjà quelque temps que Din Dayal nous suppliait de retourner à la jeep. « Ça y est, sir, vous l'avez vu, dit-il. Maintenant, rentrons. »

Peut-être était-ce à cause de l'éclat de la lampe que le serpent avait le regard braqué sur nous et faisait jaillir sa langue. J'ai vu bien des serpents, mais jamais un cobra royal d'aussi près. Et jamais je n'ai entendu dire qu'un représentant de cette espèce n'ait pas tenté d'attaquer tout intrus.

Tout à coup, le faisceau de la lampe trembla et perdit le serpent. Je n'étais pas du tout préparé à ce qui suivit. Dhurjati Babu ramassa prestement une pierre et la jeta de toutes ses forces vers le serpent. Il la fit suivre très vite par deux autres projectiles. Saisi soudain d'une horrible prémonition, je criai : « Mais pourquoi diable avez-vous fait ça, Dhurjati Babu ? »

L'autre, haletant, eut un cri de triomphe. « Cela fait toujours un sale reptile de moins ! »

Din Dayal fixait bouche bée le buisson. Je saisis la torche des mains de Dhurjati Babu et éclairai l'entrée du trou. On y distinguait en partie la forme inerte du serpent. Les feuilles alentour étaient éclaboussées de sang.

J'ignorais qu'arrivés sur ces entrefaites, Imli Baba et son disciple s'étaient placés juste derrière nous. Ce fut Dhurjati Babu qui se retourna le premier ; je l'imitai et vis le Baba qui se tenait à peut-être quatre mètres de là, un bâton à la main. Il avait le regard braqué sur Dhurjati Babu. Je serais incapable de décrire l'expression qui s'y lisait. Je dirai seulement que jamais je n'ai vu dans les yeux de quelqu'un semblable mélange de surprise, de colère et de haine.

L'homme leva le bras droit en direction de Dhurjati Babu. Il pointa l'index, et je remarquai pour la première fois que ses ongles mesuraient plus de deux centimètres de long. A qui me faisait-il penser ? Oui, à un personnage d'un tableau de Ravi Varma qu'enfant j'avais vu en reproduction chez mon oncle. C'était le sage Durbasha maudissant le malheureux Sakuntala. Il avait le bras levé de cette façon, et la même expression dans le regard.

Mais Imli Baba ne formula aucune malédiction. Voici tout ce qu'il prononça en hindi d'une voix profonde : « Un Balkishen s'en est allé ; un autre viendra prendre sa place. Balkishen est immortel... »

Dhurjati Babu s'essuya les mains dans son mouchoir, se tourna vers moi et dit : « Partons. » Le disciple du Baba vint ramasser le cadavre du serpent et s'en fut, probablement pour aller préparer la crémation. La taille du reptile me stupéfia ; j'ignorais que le cobra royal pouvait atteindre de telles dimensions. Imli Baba repartit lentement vers sa hutte. Nous regagnâmes la jeep.

Pendant le trajet, Dhurjati Babu demeura maussade et silencieux. Je lui demandai pourquoi il avait fallu qu'il tue ce serpent qui ne lui avait rien fait. Je m'attendais à ce qu'il s'enflamme une fois de plus et se mette à fulminer contre les serpents et les babas. Au lieu de cela, il posa une question qui semblait n'avoir aucun rapport avec l'incident.

« Savez-vous qui était Khagam ? »

Khagam ? Ce nom me disait quelque chose, mais je ne

parvenais pas à me rappeler où je l'avais entendu. Dhurjati Babu marmonna ce nom deux ou trois fois, puis se tut à nouveau.

Il était six heures et demie lorsque nous arrivâmes à l'auberge. La vision me revenait sans cesse d'Imli Baba pointant le doigt sur Dhurjati Babu. J'ignorais pour quelle raison mon compagnon s'était conduit de cette façon. Cependant, j'estimais que l'incident était clos et qu'il n'y avait donc plus lieu de s'en soucier. Baba lui-même avait dit que Balkishen était immortel. Il devait y avoir d'autres cobras royaux dans la jungle de Bharatpur. Nul doute que les disciples du Baba en captureraient un.

Pour le dîner, Lachhman avait préparé du poulet au curry, des lentilles et des chapatis. On a grand faim après une journée d'excursion. Dans ces cas-là, je mange au moins deux fois plus qu'à la maison. Bien que de petite taille, Dhurjati Babu possédait un solide coup de fourchette ; ce soir-là, pourtant, il semblait n'avoir aucun appétit. Je lui demandai s'il se sentait bien. Il ne répondit pas. Je lui demandai alors : « Auriez-vous quelque remords d'avoir tué ce serpent ? »

Dhurjati Babu fixait la lampe à pétrole. Ce qu'il dit ne répondait pas à ma question. « Le serpent sifflait…, fit-il d'un filet de voix sans détourner les yeux de la lampe. Les serpents parlent quand ils sifflent… oui,

Les serpents parlent quand ils sifflent
Je le sais. Je le sais… »

Dhurjati Babu se tut et fit entendre quelques sifflements. Puis il reprit sa comptine, balançant la tête en rythme.

« Les serpents parlent quand ils sifflent
Je le sais. Je le sais,
Les serpents parlent quand ils sifflent
Je le sais. Je le sais…

Qu'est-ce que c'est ? Du lait de chèvre ? »

L'interrogation portait sur l'assiette de pudding qui se trouvait devant lui.

« Oui, fit Lachhman, du lait et des œufs. »

Dhurjati Babu était de nature fantasque, mais son attitude avait ce jour-là quelque chose d'excessif. Peut-être s'en rendit-il compte, car il parut prendre sur lui et se calmer un peu. « Trop pris le soleil ces derniers jours, dit-il. Demain, faudra faire attention. »

Ce soir-là il faisait sensiblement plus frais que d'ordinaire ; aussi, au lieu d'aller m'asseoir sur la terrasse, je gagnai ma chambre et commençai de faire ma valise. Je devais prendre le train le lendemain soir. Je devais prendre une correspondance à Sawai-Madhopur, au milieu de la nuit, pour arriver à Jaipur à cinq heures du matin.

Du moins était-ce ce que j'avais prévu, mais il n'en alla pas ainsi. Je dus télégraphier à mon frère aîné que j'arriverais un jour plus tard. Ce que je vais raconter maintenant expliquera les raisons de ce changement. Je vais m'efforcer de tout décrire aussi clairement et précisément que possible. Je ne m'attends pas à ce que tout le monde me croie, mais la preuve de mes dires repose toujours sur le sol à cinquante mètres de la hutte du Baba. Je frissonne encore en y pensant, aussi n'est-il pas surprenant que je n'aie pu la ramasser pour l'emporter et prouver ainsi l'authenticité de mon récit. Que je vous expose maintenant ce qui s'est passé.

Je venais de fermer ma valise, de baisser la mèche de la lampe et d'enfiler mon pyjama quand un coup fut frappé à la porte du mur est de ma chambre. Celle de Dhurjati Babu se trouvait de l'autre côté de cette porte.

Dès que j'ouvris, mon voisin eut un murmure enroué : « Avez-vous du Flit, ou quelque chose pour éloigner les moustiques ?

— Où avez-vous vu des moustiques ? Vos fenêtres n'ont-elles pas de moustiquaire ?

— Si.

— Eh bien alors ?

— N'empêche que je me fais piquer.

— Qu'est-ce qui vous fait dire cela ?

— J'ai des marques sur la peau. »

Il faisait sombre sur le pas de la porte en sorte que je ne lui voyais pas distinctement le visage. « Entrez, dis-je. Voyons un peu à quoi ressemblent ces marques. »

Dhurjati Babu entra dans la chambre. Levant la lampe, je localisai aussitôt les marques en question. Des taches grisâtres, en forme de losange. Je n'avais jamais rien vu de tel, et cela ne me disait rien qui vaille. « On dirait que vous avez contracté une maladie pas ordinaire. Ce n'est peut-être bien sûr qu'une allergie. Dès demain matin nous nous mettrons en quête d'un médecin. Essayez de dormir et ne vous en faites pas pour ces taches. Selon moi, elles ne sont pas causées par des insectes. Est-ce que cela fait mal ?

— Non.

— En ce cas, ne vous inquiétez pas. Allez vous recoucher. »

Il s'en fut. Je refermai la porte et allai me glisser sous ma couverture. J'ai coutume de lire avant de dormir, mais ce n'était pas possible à la lueur de la lanterne. Je n'en avais d'ailleurs nul besoin. Après les émotions de la journée, je sentais que le sommeil ne tarderait pas.

Le sort en décida autrement. J'étais sur le point de m'endormir lorsqu'une voiture arriva, suivie de bruits de voix à l'accent anglais et des jappements d'un chien. De toute évidence, des touristes étrangers. Une sévère injonction, et le chien cessa d'aboyer. Bientôt, il n'y eut plus à nouveau que le chant des criquets. Non, en plus des criquets, j'entendais mon voisin, toujours éveillé, qui marchait dans sa chambre. J'avais pourtant vu par la fente sous la porte qu'il avait éteint, ou emporté sa lampe dans le cabinet de toilette. Pourquoi diable arpentait-il ainsi sa chambre dans le noir ?

Pour la première fois je me demandai s'il n'était pas un peu plus que simplement farfelu. Je ne le connaissais que depuis deux jours. A part ce qu'il m'avait dit, je ne savais rien de lui. Et cependant, pour être tout à fait honnête, jusqu'à ces toutes dernières heures, je n'avais remarqué en lui aucun signe de ce que l'on pourrait appeler un dérangement mental. Ses commentaires, alors que nous visitions les forts de Bayan et de Deeg, témoignaient de solides connaissances en histoire. Non seulement cela, il possédait de bonnes bases dans le domaine de l'art et semblait fort bien informé sur le travail des architectes hindous et musulmans dans les palais du Rajasthan. Non, il ne faisait pas de doute que l'homme fût malade. Demain, il faudrait lui trouver un médecin.

Je vis au cadran lumineux de ma montre qu'il était onze heures moins le quart. On gratta une nouvelle fois à la porte. Cette fois, je lançai de mon lit : « Qu'y a-t-il, Dhurjati Babu ?

— S-s-s-s-

— Comment ?

— S-s-s-s- »

Je compris qu'il avait du mal à parler. Je m'étais mis dans de beaux draps. Je lançai à nouveau : « Dites-moi clairement ce qui vous arrive.

— S-s-s-si vous voulez bien m'excuser, je... »

Je ne pouvais pas ne pas me relever. Comme j'ouvrais la porte, l'autre me posa une question tellement absurde que j'en fus véritablement irrité.

« S-s-s-serpent ne prend qu'un seul *s* ? » demanda-t-il. Je ne fis aucun effort pour dissimuler mon agacement.

« C'est pour me demander ça que vous frappez à ma porte en pleine nuit ?

— Un seul *s* ? répéta-t-il.

— Oui, un seul *s*. Il n'y a pas de mot anglais qui commence par deux *s*.

— Ah d'accord. Et s-s-sortilège aussi, alors ?

— Un seul *s* également.

— Merci. Dormez bien. »

J'eus pitié de ce malheureux. « Si vous voulez, j'ai des pilules pour dormir. En voulez-vous ?

— Oh non. Je dors as-s-sez bien. Mais quand le s-soleil s-s-s'est couché ce s-s-soir... »

Je l'interrompis. « Est-ce que votre langue vous joue des tours ? Pourquoi bégayez-vous de la sorte ? Passez-moi donc votre lampe-torche un instant. »

Je suivis Dhurjati Babu dans sa chambre. La lampe-torche était sur la table de toilette. Je lui éclairai le visage et il sortit la langue.

Il était évident que quelque chose n'allait pas. Une mince ligne rouge était apparue en son milieu.

« Est-ce que cela vous fait mal ?

— Non, pas du tout. »

J'étais bien en peine de dire ce qui n'allait pas chez lui.

Mon regard se posa sur son lit. L'agencement impeccable de la literie montrait qu'il ne s'y était pas étendu. « Je veux vous voir vous mettre au lit, lui ordonnai-je. Et je vous demande de ne plus venir frapper à ma porte. Je sais que je ne fermerai pas l'œil dans le train, aussi aimerais-je prendre une bonne nuit de repos. »

Mais il ne semblait pas disposé à se coucher. La lampe à pétrole ayant été reléguée dans le cabinet de toilette, la chambre n'était éclairée que par la pleine lune. Le clair de lune entrait par la fenêtre et baignait le plancher. Dhurjati Babu se tenait en pyjama au milieu de la pièce, essayant de temps à autre de produire un sifflement entre ses lèvres entrouvertes. En quittant mon lit, je m'étais enveloppé dans ma couverture, mais Dhurjati Babu, lui, ne portait rien de chaud. Si jamais il attrapait froid, il me serait difficile de le laisser seul et de prendre mon train. Car enfin, nous étions l'un comme l'autre loin de chez nous ; si l'un de nous avait un problème, l'autre ne pouvait le laisser dans le pétrin et s'en aller comme si de rien n'était.

Je lui demandai à nouveau de se mettre au lit. Voyant qu'il n'en faisait rien, je compris qu'il me fallait recourir à la force. S'il tenait à faire l'enfant, je n'avais d'autre choix que celui de tenir le rôle sévère de l'adulte.

Mais lorsque je voulus lui saisir la main, je fis un bond en arrière comme sous l'effet d'une décharge électrique.

Le corps de Dhurjati Babu était aussi froid que de la glace. Je ne pouvais concevoir que le corps d'une personne bien vivante fût aussi froid.

Peut-être est-ce ma réaction qui fit naître un sourire sur ses lèvres. Il me considérait maintenant de ses yeux gris plissés par l'amusement. « Qu'est-ce qui ne va pas chez vous ? » fis-je d'une voix rauque.

Dhurjati Babu continua de me regarder pendant une bonne minute. Je remarquai que pas une fois il ne clignait les yeux. Je remarquai aussi qu'il ne cessait de sortir et rentrer la langue. Enfin, dans un souffle, il déclara : « Baba m'appelle, je l'entends qui appelle : ''Balkishen !... Balkishen !...'' Je l'entends qui appelle. » Alors ses jambes ployèrent et il tomba sur le sol. Allongé à plat ventre, il se mit à ramper à reculons en s'aidant des coudes et disparut sous le lit.

Je ruisselais de sueur glacée et tremblais de tous mes membres. J'avais du mal à me tenir debout. Mon inquiétude pour cet homme avait fait place à un mélange d'horreur et d'incrédulité.

Je regagnai ma chambre, fermai la porte et poussai le verrou. Puis je me remis au lit et me couvris de la tête aux pieds. Au bout de quelque temps, mes tremblements s'apaisèrent, mes idées s'éclaircirent. Je tentai alors d'envisager l'ensemble de la question et les implications de ce que je venais de voir de mes yeux. Dhurjati Babu avait tué à coups de cailloux le cobra d'Imli Baba. Aussitôt après, ce dernier avait pointé le doigt sur Dhurjati Babu en déclarant : « Un Balkishen s'en est allé. Un autre viendra prendre sa place. » La question qui se posait, était : le second Balkishen était-il un serpent ou un homme ?

Ou un homme changé en serpent ?

Quelles étaient ces taches en losange apparues sur la peau de Dhurjati Babu ?

Quelle était cette marque rouge sur sa langue ?

Celle-ci allait-elle devenir bifide ?

Pourquoi était-il si froid au toucher ?

Pourquoi avait-il rampé sous le lit ?

Quelque chose me revint tout à coup à l'esprit. Dhurjatı Babu avait prononcé le nom de Khagam. Il m'avait semblé connaître ce nom, sans toutefois parvenir à l'identifier. Maintenant, je me souvenais. Cela provenait d'une histoire que j'avais lue dans le *Mahabharata* lorsque j'étais enfant. Khagam était le nom d'un sage. Par un sortilège, il avait changé un de ses amis en serpent. Khagam, serpent, sortilège — tout concordait. Mais l'ami en question avait été changé en un serpent inoffensif, alors que Dhurjati Babu...

On frappait de nouveau à la porte. Au bas de la porte, cette fois. Un coup, puis deux, puis trois... Je ne bougeai pas. Il était hors de question que j'aille une nouvelle fois ouvrir.

Les coups cessèrent. J'attendais, retenant ma respiration.

Il y eut comme un sifflement qui s'éloignait de la porte.

Puis ce fut le silence, silence que seuls troublaient les battements de mon cœur.

Mais quel était ce nouveau bruit ? Un couinement. Non, entre le couinement et le piaillement. Je savais le bungalow infesté de rats. J'en avais vu un dans ma chambre le premier soir. J'en avais parlé à Lachhman, et il avait rapporté de l'office un piège afin de me montrer le rat qui y était pris. « Pas seulement des rats, sir ; il y a aussi des taupes. »

Les couinements avaient cessé. Tout était à nouveau silencieux. Plusieurs minutes passèrent. Je consultai ma montre. Une heure moins le quart. L'envie de dormir m'était passée. Par la fenêtre je voyais les arbres se profiler sur le clair de lune. L'astre avait atteint le zénith.

J'entendis une porte s'ouvrir, celle de la chambre de Dhurjati Babu qui donnait sur la véranda. Cette porte était sur le même côté que ma fenêtre. L'alignement des arbres se trouvait à six ou sept mètres du bord de la véranda.

Dhurjati Babu était sorti sur la véranda. Où allait-il ? Que projetait-il ? Je regardais fixement ma fenêtre.

Le sifflement devenait plus fort. Cela venait maintenant de l'autre côté de la fenêtre. Dieu merci, elle était protégée d'une moustiquaire !

Quelque chose montait au mur. Une tête apparut derrière le fin treillage. Luisant à la lueur de la lampe, deux petits yeux me fixaient intensément.

Cela dura peut-être une minute, jusqu'à ce qu'un chien se mît à aboyer. La tête se tourna vers le bruit et disparut.

Le chien aboyait frénétiquement. J'entendis son maître le réprimander. Les aboiements se changèrent en gémissements, puis cessèrent. Ce fut une nouvelle fois un grand silence. Je demeurai les sens en éveil pendant encore une dizaine de minutes. La comptine que j'avais entendue dans la soirée me revint à l'esprit :

Les serpents parlent quand ils sifflent
Je le sais. Je le sais,
Les serpents parlent quand ils sifflent
Je le sais. Je le sais...

Je fus réveillé par des bruits de voix, des voix à l'accent anglais. Ma montre indiquait six heures moins dix. Il se passait quelque chose d'inhabituel. Je me levai en hâte, enfilai mes vêtements et sortis sur la véranda. Un petit chien appartenant à deux touristes anglais était mort dans la nuit. L'animal avait dormi dans la chambre de ses maîtres, qui ne s'étaient pas souciés de fermer la porte à clef. On supposait qu'un serpent ou quelque autre créature également venimeuse s'était introduit dans la chambre et l'avait mordu.

Laissant le chien de côté, je me dirigeai vers la chambre de Dhurjati Babu, à l'autre bout de la véranda. La porte était ouverte et la chambre déserte. Lachhman avait coutume de se lever à cinq heures pour allumer la cuisinière et mettre de l'eau à chauffer pour le thé. Je l'interrogeai. Il dit n'avoir pas vu Dhurjati Babu.

J'étais en proie à toutes sortes d'idées funestes. Il me fallait trouver Dhurjati Babu. Il n'avait pu faire beaucoup de chemin à pied. Cependant, une fouille approfondie des bois environnants fut sans effet.

La jeep arriva à dix heures et demie. Il était hors de question que je quitte Bharatpur avant de savoir ce qu'il était advenu de mon compagnon. C'est pourquoi je télégraphiai à mon frère et retardai d'une journée mon billet de chemin de fer. Puis je regagnai l'auberge pour apprendre que l'on n'avait toujours pas de nouvelles de Dhurjati Babu. Cependant, les deux Anglais avaient enterré leur chien et s'en étaient allés.

Je passai tout l'après-midi à explorer les abords de la maison. Selon mes instructions, la jeep revint en début de soirée. Je suivais maintenant mon intuition et n'avais guère espoir d'aboutir. Je dis au chauffeur de me conduire à l'ermitage d'Imli Baba.

J'y arrivai à peu près à la même heure que la veille. Baba, la pipe à la main, était assis devant son feu. Il avait près de lui deux disciples de plus.

Il eut un hochement bref en réponse à mon salut. Son regard n'avait rien de la fulgurante intensité qui s'y était allumée la veille. J'en vins immédiatement à ce qui m'amenait : le Baba savait-il quelque chose du gentleman qui était avec moi la veille ? Un doux sourire se peignit sur son visage. « Bien sûr que oui ! dit-il. Votre ami n'a pas trahi mes espérances. Il m'a restitué mon Balkishen. »

Je remarquai pour la première fois la jarre qui était posée à sa droite. Ce liquide blanc qu'elle contenait ne pouvait être que du lait. Mais je n'avais pas fait tout ce chemin pour contempler un serpent et une jarre de lait. J'étais venu en quête de Dhurjati Babu. Il ne s'était tout de même pas changé en courant d'air. Si seulement je pouvais voir quelque signe de son existence !

J'avais déjà remarqué que le Baba savait lire les pensées. Il tira une longue bouffée de sa pipe de *ganja*, la passa à un de ses disciples et dit : « Je crains que ton ami ne soit plus sous la forme que tu lui as connue. Mais il a laissé derrière lui un souvenir que tu trouveras à cinquante pas au sud de la demeure de Balkishen. Sois prudent, le coin est plein d'épineux. »

Je me rendis jusqu'au trou dans lequel vivait le cobra royal. Je ne me souciais nullement de savoir si un autre serpent était venu remplacer le premier. Je fis cinquante pas vers le sud à travers des herbes, des éboulis, des buissons épineux, et arrivai près d'un arbre au pied duquel reposait quelque chose dont j'avais vu quelques minutes plus tôt les répliques épinglées sur un fil dans la hutte du Baba.

Il s'agissait d'une peau fraîchement dépouillée, et tout entière couverte d'écailles en forme de losange.

Mais était-ce vraiment une mue de serpent ? Un serpent ne possédait pas une telle cage thoracique, un serpent n'avait ni bras ni jambes.

Ce que je voyais là était la peau d'un homme. D'un homme qui avait cessé d'être un homme, qui est à présent lové à l'intérieur de son trou. Il s'est changé en cobra royal, des crocs venimeux lui ont poussé.

Tenez, on l'entend siffler. Le soleil vient de se coucher. Et voici le Baba qui appelle. « Balkishen... Balkishen... Balkishen... »

Patol Babu star de cinéma

Patol Babu venait de se passer son cabas à l'épaule quand Nishikanto Babu appela depuis le pas de la porte d'entrée.
« Patol, êtes-vous là ?
— Oui, oui, fit Patol Babu. Un petit instant. »
Nishikanto Babu vivait à trois maisons de là dans Nepal Bhattacharji Lane. C'était quelqu'un de très sympathique.
Patol Babu sortit avec son filet à provisions. « Qu'est-ce qui vous amène de si bon matin ?
— Dites, à quelle heure serez-vous rentré ?
— En gros dans une heure. Pourquoi ?
— J'espère qu'après cela vous ne ressortirez pas ; c'est aujourd'hui l'anniversaire de Tagore. Hier, j'ai rencontré le plus jeune de mes beaux-frères à la pharmacie Netaji. Il travaille dans le cinéma, dans la production. Il m'a dit qu'il cherchait un acteur pour une scène d'un film qu'ils sont en train de tourner. A la façon dont il m'a décrit le personnage — petit, chauve, la cinquantaine —, j'ai aussitôt pensé à vous. Je lui ai donc donné votre adresse en lui disant de prendre directement contact avec vous. J'espère que vous accepterez. Bien sûr, vous serez payé. »
Patol Babu ne s'attendait pas à une telle nouvelle au commencement de sa journée. Que l'on pût proposer à un obscur tel que lui de jouer dans un film dépassait ses rêves les plus fous.

« Alors, c'est oui ou c'est non ? demanda Nishikanto Babu. Je crois savoir que vous êtes jadis monté sur les planches ?

— C'est exact, fit Patol Babu. Je ne vois pas pourquoi je refuserais. Mais il faut d'abord que je voie votre beau-frère pour éclaircir certains détails. Comment s'appelle-t-il ?

— Naresh. Naresh Dutt. Il a dans les trente ans. Un solide gaillard. Il m'a dit qu'il passerait aux alentours de dix heures et demie. »

Au marché, Patol Babu oublia ce que lui avait demandé sa femme. Il acheta des piments rouges au lieu de semence d'oignons et oublia de prendre des aubergines. Cela n'avait rien de surprenant. A une époque, il avait eu une véritable passion pour la scène ; en fait cela confinait même à l'obsession. Il avait été très demandé dans les troupes d'amateurs pour les spectacles montés par les clubs de quartier. Son nom avait bien des fois figuré sur les prospectus, et une fois même en caractères gras en tête d'affiche : « Sitalakanto Ray (Patol Babu) dans le rôle de Parasar. » Oui, il avait été un temps où les gens prenaient leur billet pour le voir jouer.

C'était à l'époque où il habitait encore Kanchrapara. Il travaillait dans une fabrique de matériel ferroviaire. En 1934, on lui avait proposé, pour un salaire plus élevé, un poste d'employé de bureau chez Hudson and Kimberley, à Calcutta. Il avait donc quitté l'usine et était venu s'installer avec sa femme à Calcutta, où il avait eu la chance de trouver un appartement dans Nepal Bhattacharji Lane. Tout se passa très bien pendant quelques années, et Patol Babu était dans les petits papiers de son patron. En 1943, alors qu'il caressait le projet de fonder un club dans le quartier, une subite réduction d'effectifs due à la guerre lui coûta cette place qu'il occupait depuis neuf ans.

Depuis lors, Patol Babu avait dû lutter pour gagner sa vie. Il commence par ouvrir un commerce qu'il est obligé de liquider au bout de la cinquième année. Puis il trouve un emploi dans une entreprise bengali, mais s'en va lorsque son chef finit par se montrer trop autoritaire. Ensuite, pendant dix longues années, débutant comme placier en assurances, il touche à toutes les façons de gagner sa vie sans jamais réussir à améliorer sa situation. Ces derniers temps, il rendait régulièrement visite à une petite affaire de métaux de récupération dans laquelle un de ses cousins promettait de le faire entrer.

Et le théâtre ? C'était là quelque chose qui remontait à un lointain passé, quelque chose qu'il se rappelait parfois en soupirant. Doué d'une bonne mémoire, Patol Babu se souvenait encore des tirades de certains de ses meilleurs rôles. « Écoute, au milieu de la mêlée sanglante, le claquement formidable du puissant arc Gandiva, écoute le sifflement féroce de la gigantesque massue que brandit le grand Brikodara ! » Le seul fait de repenser à de telles répliques lui donnait des frissons dans le dos.

Naresh Dutt arriva à midi et demi. Patol Babu avait perdu tout espoir et s'apprêtait à aller prendre son bain lorsqu'il entendit frapper.

« Entrez, entrez, sir ! » Il tira presque le jeune homme à l'intérieur et lui avança le fauteuil aux accoudoirs brisés. « Asseyez-vous donc.

— Non merci. Je, euh, je présume que Nishikanto Babu vous a parlé de moi ?

— Oui, oui, et je dois dire que cela m'a un peu surpris. Après tant d'années...

— J'espère que vous n'y voyez pas d'inconvénients.

— Vous pensez que je peux faire l'affaire ? » interrogea Patol Babu, peu sûr de lui-même.

Naresh Dutt posa sur lui un regard appréciateur et eut un hochement de tête. « Oui, dit-il, cela ne fait pas de doute. A propos, nous tournons demain matin.

— Demain dimanche ?

— Oui, et ce n'est pas aux studios. Je vais vous expliquer où il faudra vous rendre. Vous connaissez Faraday House, près du croisement de Bentinck Street avec Mission Row ? C'est un immeuble de sept étages. Le tournage aura lieu au pied du bâtiment, juste devant l'entrée. Soyez-y à huit heures trente précises. Vous en aurez terminé à midi. »

Naresh Dutt s'apprêtait à partir. « Mais vous ne m'avez pas parlé du rôle, dit Patol Babu avec inquiétude.

— Ah oui, excusez-moi. Vous allez tenir le rôle d'un, euh, d'un passant. Un passant distrait et irascible. A propos, avez-vous une veste qui se boutonne jusqu'en haut ?

29

— Je crois bien, oui. Vous voulez dire à l'ancienne mode ?

— Oui. C'est ce que vous porterez. De quelle couleur est-elle ?

— Dans les noisette. Seulement elle est en laine.

— Parfait. L'histoire se passe en hiver, c'est donc ce qu'il nous faut. Demain, huit heures trente précises. Faraday House. »

Patol Babu pensa tout à coup à une question cruciale.

« J'espère que ce rôle comporte un texte ?

— Tout à fait. C'est un rôle parlant. Vous avez déjà joué, n'est-ce pas ?

— Euh, eh bien, oui, en effet...

— Très bien. Je ne serais pas venu vous déranger pour un simple rôle de figuration. Pour cela, nous prenons des gens directement dans la rue. C'est bien sûr un rôle parlant. On vous donnera votre texte demain, dès que vous arriverez. »

Lorsque Naresh Dutt eut pris congé, Patol Babu alla annoncer la nouvelle à sa femme.

« Pour autant que je sache, ce n'est pas un rôle très important. Bien sûr, je vais être payé, mais ce n'est pas le plus important. Non, tu te souviens de la façon dont j'ai débuté sur les planches ? Tu te rappelles mon premier rôle ? Je jouais un soldat mort ! Tout ce que j'avais à faire était de rester couché sur scène les bras en croix. Et tu te souviens de quelle manière je me suis élevé de cette position ? Tu te souviens de M. Watts en train de me serrer la main ? Et la médaille d'argent que le maire m'avait remise ? Ceci n'est que le premier barreau de l'échelle, ma chère moitié ! Oui, avec l'aide de Dieu, le premier pas de ton cher mari vers la gloire et la fortune !

— Encore en train de vendre la peau de l'ours, n'est-ce pas ? Pas étonnant que tu n'aies jamais su faire ton chemin.

— Mais cette fois c'est du sérieux ! Va me préparer une tasse de thé, veux-tu ? Et fais-moi penser ce soir à prendre de l'extrait de gingembre. C'est excellent pour la gorge. »

L'horloge du Metropolitan Building indiquait huit heures sept lorsque Patol Babu arriva sur l'Esplanade*. Le trajet

---

* Place située au cœur de Calcutta (NdA).

jusqu'à Faraday House lui prit encore une dizaine de minutes.

Une foule importante était massée devant l'immeuble. Trois ou quatre voitures stationnaient sur l'avenue. Il y avait aussi un car dont le toit était chargé de matériel. Au bord du trottoir, un appareil reposait sur un trépied autour duquel s'affairaient plusieurs personnes. Près de l'entrée, il y avait une sorte de colonne, également sur trépied, dont le sommet portait une longue perche au bout de laquelle était suspendu quelque chose qui ressemblait à une petite ruche oblongue. Autour de ces appareils évoluaient de nombreuses personnes, dont plusieurs, remarqua Patol Babu, n'étaient pas bengalis. Il n'aurait su dire quel était leur rôle.

Où pouvait bien se trouver Naresh Dutt ? C'était le seul ici qui connût Patol Babu.

Non sans émotion, celui-ci s'avança vers l'entrée de l'immeuble. On était au plus fort de l'été, et la veste de laine boutonnée au ras du cou lui pesait. Il sentait des gouttelettes de sueur se former autour du col haut.

« Par ici, Atul Babu ! »

Atul Babu ? Patol Babu repéra Naresh Dutt qui, depuis l'entrée, lui faisait signe. Il écorchait son nom, et ce n'était pas étonnant, leur entrevue ayant été si brève. Patol Babu s'approcha, joignit les paumes et dit : « Vous n'avez sans doute pas encore noté mon nom. Je me nomme Sitalakanto Ray, mais on préfère me donner le surnom de Patol. C'est le nom que j'utilisais à la scène.

— Ah bon, parfait. Je dois reconnaître que vous êtes quelqu'un de ponctuel.

— J'ai travaillé neuf ans chez Hudson and Kimberley et pas une fois je ne suis arrivé en retard.

— Vraiment ? Bon eh bien, pourquoi n'iriez-vous pas attendre là-bas à l'ombre ? Nous avons quelques détails à régler avant de commencer.

— Naresh ! héla un homme qui se trouvait près de l'appareil au trépied.

— Monsieur ?

— Fait-il partie de nos clients ?

— Oui, monsieur. Il est, euh, dans la scène où ils butent l'un dans l'autre.

« — OK. Bon, dégagez l'entrée, voulez-vous ? On va commencer. »

Patol Babu recula pour gagner l'ombrage d'un marchand de *paan*.* C'était la première fois qu'il assistait à un tournage. Comme ces gens s'activaient ! Un garçon d'une vingtaine d'années transportait le lourd trépied sur son épaule. Cela devait bien peser dans les trente kilos.

Mais, et son texte ? Il ne restait plus beaucoup de temps, et il ne savait toujours pas ce qu'il lui faudrait dire ou faire.

Patol Babu se sentit tout à coup un peu inquiet. Devait-il demander à quelqu'un ? Naresh Dutt était là-bas ; fallait-il aller lui en parler ? Même si le rôle était modeste, il entendait y donner le meilleur de lui-même, et il lui fallait donc travailler préalablement son texte. Comme il se sentirait mal si jamais il se mettait à bafouiller devant tout ce monde ! La dernière fois qu'il était monté sur scène remontait quand même à une vingtaine d'années.

Patol Babu allait s'avancer lorsqu'il fut stoppé net par une voix hurlant : « Silence ! »

Puis Naresh Dutt mit ses mains en porte-voix pour annoncer : « Nous allons commencer à tourner. Que tout le monde veuille bien se taire. Restez où vous êtes et, s'il vous plaît, ne vous massez pas autour de la caméra ! »

La première voix hurla encore : « Silence ! On tourne ! » Patol Babu repéra son propriétaire, il s'agissait d'un personnage trapu, de taille moyenne, qui se tenait près de la caméra. Il portait au cou quelque chose qui ressemblait à un petit télescope. Était-ce le metteur en scène ? Extraordinaire ! Il ne s'était même pas soucié de savoir qui était le metteur en scène !

Voici que des cris retentissaient en une rapide succession : « Envoyez le son ! » « Bon pour le son ! » « Caméra ! » « Ça tourne ! » « Action ! »

Patol Babu vit que dès que le mot « Action » fut lancé, une voiture arriva du carrefour pour se garer devant l'entrée de l'immeuble. Un jeune homme en costume gris et maquillage rose jaillit de l'arrière du véhicule, fit quelques pas en direction de l'entrée et s'immobilisa abruptement.

---

* Masticatoire aux propriétés stimulantes, composé de feuilles de bétel, de tabac et d'épices diverses *(NdA)*.

Aussitôt, on entendit : « Coupez ! », et le brouhaha s'éleva de nouveau.

« J'espère que vous reconnaissez ce type ? demanda à Patol Babu un homme qui se tenait près de lui.

— Ma foi non.

— Chanchal Kumar, l'acteur qui monte. En ce moment il est simultanément en tête d'affiche de quatre films. »

Patol Babu allait très peu au cinéma ; il lui sembla cependant avoir déjà entendu le nom de ce Chanchal Kumar. C'était probablement l'acteur au sujet duquel Koti Babu ne tarissait pas d'éloges l'autre jour. Ce type avait un maquillage superbe. Si au lieu d'un costume il avait porté un *dhoti* et un *panjabi**, et si on lui avait donné un paon à chevaucher, il aurait fait un dieu Kartik parfait. Monotosh de Kanchrapara, plus connu sous le surnom de Chinu, possédait un physique comparable. Il excellait dans les rôles féminins, se souvint Patol Babu.

Il se tourna vers son voisin et dans un souffle demanda : « Qui est le metteur en scène ? »

L'autre haussa les sourcils. « Comment, vous ne savez pas ? Mais c'est Baren Mullick. Il vient d'avoir trois succès d'affilée. »

Patol Babu venait de glaner des renseignements utiles. Il aurait eu l'air malin en ne sachant que répondre si jamais sa femme lui demandait dans quel film il avait joué et avec quel acteur.

Naresh Dutt vint lui apporter du thé dans une petite tasse en terre.

« Tenez, voilà qui va vous éclaircir la gorge. Cela va être à vous. »

C'était le moment ou jamais.

« Si vous vouliez bien me donner mon texte...

— Votre texte ? Venez. »

Suivi de Patol Babu, Naresh Dutt partit vers l'appareil tripode.

« Hé, Sosanko, lança-t-il à l'adresse d'un jeune type en chemisette. Ce gentleman voudrait avoir son texte. Veux-tu le lui écrire sur une feuille de papier ? C'est lui qui...

---

* *Dhoti* : bande de tissu dont les hommes se ceignent les reins. — *Panjabi* : tunique à manches longues, sans col, portée avec le dhoti *(NdA)*.

— Je suis au courant. » Sosanko se tourna vers Patol Babu. « Venez, Pépé. Ho, Jyoti, je peux t'emprunter ton stylo une seconde ? Pépé veut que je lui note son texte. »

Le jeune Jyoti tira de sa poche un stylo à pois rouges qu'il tendit à Sosanko. Celui-ci arracha une feuille à son bloc et y griffonna quelque chose.

Patol Babu prit la feuille et vit qu'un seul mot y figurait : « Oh ! »

Le sang se mit à battre à ses tempes. Il aurait voulu enlever sa veste. La chaleur était insupportable. « Qu'est-ce qu'il y a, l'ancien ? Vous n'avez pas l'air content. »

Est-ce que ces gars-là le faisaient marcher ? Se pouvait-il que tout ceci ne fût qu'une gigantesque farce ? Quelqu'un de doux, d'inoffensif comme lui, on le faisait venir en ville dans le seul but de se moquer de lui. Comment pouvait-on être aussi cruel ?

« Je trouve cela plutôt bizarre, fit-il d'une voix à peine audible.

— Pourquoi donc, Pépé ?

— Rien que ''Oh'' ? C'est tout ce que j'ai à dire ? » Sosanko haussa les sourcils.

« Qu'est-ce que vous racontez, Papi ? Vous trouvez que ce n'est rien du tout ? Mais enfin, vous avez là un vrai rôle parlant ! Un rôle parlant dans un film de Baren Mullick, est-ce que vous réalisez ce que cela veut dire ? Mais c'est que vous êtes le plus veinard des acteurs. Savez-vous que jusqu'à présent plus de cent personnes sont apparues dans ce film, qui n'avaient *rien* à dire ? On leur demandait de passer tout bonnement dans le champ. Certains n'avaient même pas à marcher ; ils restaient plantés au même endroit. Il y en a d'autres qui n'ont même pas été dans le champ. Tenez, rien qu'aujourd'hui, regardez tous ces gens là-bas près du réverbère ; ils sont tous dans la scène qu'on va tourner, mais ils n'ont rien à dire. Même notre héros, Chanchal Kumar, n'aura rien à dire aujourd'hui. Vous voyez, vous êtes le seul. »

Jyoti s'approcha, posa la main sur l'épaule de Patol Babu. « Bon, que je vous dise ce que vous aurez à faire. Chanchal Kumar est un jeune cadre en pleine ascension. Il vient d'apprendre qu'un détournement de fonds a eu lieu dans sa boîte, et il accourt aux nouvelles. Il sort de voiture et traverse le trottoir à grands pas en direction de l'entrée de l'immeuble. Il percute un passant. C'est vous. Vous vous êtes fait mal au crâne et vous dites "Oh !", mais Chanchal Kumar vous ignore et pénètre dans l'immeuble. Le fait qu'il ne fasse pas attention à vous reflète son extrême préoccupation, vous saisissez ? Vous voyez que c'est un plan capital.

— J'espère que tout est bien clair à présent, dit Sosanko. Maintenant, si vous voulez bien retourner où vous étiez tout à l'heure... moins il y a de monde de ce côté, mieux c'est. Nous avons encore un plan à tourner avant le vôtre. »

Patol Babu retourna lentement se poster près du marchand de *paan*. Debout dans l'ombre, il jeta un coup d'œil à la feuille de papier, regarda autour de lui pour s'assurer que personne ne le voyait, puis la chiffonna et la jeta dans le caniveau.

Oh...

Un soupir monta du tréfonds de son être.

Rien qu'un mot — non, même pas un mot, une onomatopée.

Il faisait une chaleur étouffante. Cette veste semblait peser une tonne. Les jambes lourdes, il se sentait incapable de demeurer plus longtemps immobile.

Il gagna le bâtiment qui se trouvait de l'autre côté du marchand de *paan* et s'assit sur les marches du perron. Il était presque neuf heures et demie. Le dimanche matin, on chantait en l'honneur de la déesse Kali chez Karali Babu. Patol Babu s'y rendait chaque semaine avec plaisir. Et s'il y allait maintenant ? Qu'est-ce que cela pouvait bien faire ? Pourquoi gâcher un dimanche matin en compagnie de ces gens inutiles, pour de surcroît se couvrir de ridicule ?

« Silence ! »

Quelles sottises ! Au diable votre « silence » ! C'est ce qui s'appelle en mettre plein la vue pour pas grand-chose ! Tout était tellement mieux sur une scène de théâtre.

La scène... la scène...

Un lointain souvenir lui revenait. D'inestimables conseils proférés d'une voix profonde et suave : « Rappelle-toi une chose, Patol. Si modeste que soit le rôle qu'on te propose, ne le juge jamais indigne de toi. En tant qu'artiste, tu dois chercher à tirer le meilleur parti de ce qui se présente, et exprimer de ton texte toute sa quintessence. Une pièce suppose le travail de beaucoup de gens, et ce sont leurs efforts combinés qui en assurent le succès. »

Ainsi parlait M. Pakrashi. Gogon Pakrashi, le mentor de Patol Babu. Un merveilleux acteur, sans la moindre trace de vanité ; un saint homme.

M. Pakrashi disait encore autre chose. « Chaque mot d'une pièce est semblable au fruit d'un arbre. Tous les membres du public n'y ont pas accès. Mais toi, acteur, tu dois savoir comment le cueillir, atteindre à son essence et le servir au public pour son édification. »

Au souvenir de son maître à penser, Patol Babu inclinait révérencieusement la tête.

Le rôle qu'on lui confiait aujourd'hui ne contenait-il vraiment rien ? Il n'avait à prononcer qu'un seul et unique mot, mais celui-ci était-il si vide de sens que l'on dût sommairement le disqualifier ?

Oh, oh, oh, oh, oh... Patol Babu commença de donner différentes inflexions à l'onomatopée. Au bout de quelque temps, il fit une étonnante découverte. La même exclamation, prononcée de différentes façons, véhiculait différentes nuances de sens. Un homme qui se faisait mal disait « oh » d'une certaine manière. Le désespoir entraînait une forme de « oh », et la tristesse une autre encore. Il y avait en fait quantité de « oh », le oh court, le oh long, le oh crié et le oh murmuré, le oh aigu et le oh sourd, le oh commençant dans les graves pour s'achever dans l'aigu, et le oh d'abord aigu qui se terminait dans les graves... Comme cela était étrange ! Patol Babu avait tout à coup l'impression qu'il aurait pu écrire toute une thèse sur cette seule exclamation monosyllabique. Pourquoi s'était-il à ce point découragé, alors que ce simple mot recelait une mine de sens ? L'acteur authentique pouvait se bâtir une renommée sur cette unique syllabe.

« Silence ! »

Le metteur en scène avait de nouveau donné de la voix. Patol Babu pouvait voir le jeune Jyoti faire reculer les badauds. Il avait quelque chose à lui demander et s'approcha rapidement.

« Combien de temps avant qu'arrive mon tour, fils ?

— Pourquoi êtes-vous tellement impatient, grand-père ?

Il ne faut pas avoir peur d'attendre dans ce métier. On ne vous appellera pas avant une demi-heure.

— C'est bon. Je vais attendre. Je serai dans cette rue là-bas, de l'autre côté de l'avenue.

— Entendu. Du moment que vous ne vous sauvez pas. » « Envoyez le son ! »

Patol Babu traversa l'avenue sur la pointe des pieds et s'engagea dans la petite rue tranquille. Il était bon qu'il eût un peu de temps devant lui. Même si ces gens paraissaient ne pas croire aux vertus des répétitions, il allait répéter son propre rôle. Il n'y avait personne dans les parages. Il s'agissait d'un quartier d'affaires et peu de gens vivaient là. Ceux qui y habitaient, tels les commerçants, étaient tous allés assister au tournage.

Patol Babu s'éclaircit la gorge et commença de prononcer la syllabe de différentes manières. Simultanément, il mit au point la façon dont il réagirait physiquement au moment de la collision. Face à une grande vitrine, il observa ses traits déformés par la souffrance, ses bras tendus en avant après coup, son corps recroquevillé pour exprimer douleur et surprise.

Il fut appelé au bout d'une demi-heure. Il avait maintenant complètement surmonté son apathie, et ne ressentait plus qu'une certaine nervosité qu'il s'efforçait de dominer. C'était un sentiment qu'il ressentait toujours, vingt ans plus tôt, lorsque venait le moment d'entrer en scène.

Baren Mullick, le réalisateur, l'appela à lui. « J'espère que vous savez ce que vous avez à faire ?

— Oui, monsieur.

— Très bien. Je commencerai par dire : ''Envoyez le son''. L'ingénieur du son répondra par : ''C'est bon''. C'est le signal pour la caméra. Alors, je dirai : ''Moteur''. Ce sera pour vous le signal de vous mettre à marcher en partant de là, et pour le héros de sortir de voiture et de s'élancer vers l'immeuble. Calculez vos pas de sorte que la collision ait lieu à cet endroit. Le héros vous ignore et entre dans l'immeuble. Pendant ce temps, vous montrez que vous avez mal en disant : ''Oh !'', vous vous arrêtez une ou deux secondes, puis vous vous remettez à marcher, OK ? »

Patol Babu parla de répéter, mais Baren Mullick secoua impatiemment la tête. « Il y a une grosse masse nuageuse qui arrive, dit-il. Cette scène doit être tournée en plein soleil.

— Un petit détail...

— Oui ? »

Lorsqu'il répétait, Patol Babu avait eu une idée.

« Euh, j'étais en train de me dire, si je tiens un journal à la main, et si la collision a lieu au moment où j'ai les yeux posés dessus, alors peut-être... »

Baren Mullick l'interrompit en s'adressant à quelqu'un qui tenait un journal bengali. « Voudriez-vous prêter votre journal à ce monsieur, le temps de ce plan ? Merci... Bien, mettez-vous en place. Chanchal, êtes-vous prêt ?

— Oui.

— Parfait. Silence ! »

Baren Mullick leva la main pour l'abaisser aussitôt en disant : « Un petit instant. Kesto, il me semble que si nous donnions une moustache au passant, ce serait plus intéressant.

— Quel genre de moustache, monsieur ? Morse, Ronald Colman ou Papillon ? Je les ai toutes ici.

— Papillon, papillon, et que ça saute ! »

Le maquilleur, personnage d'un certain âge, s'approcha de Patol Babu, sortit d'un coffret une petite moustache grise et la lui colla sous le nez.

« J'espère qu'elle ne va pas tomber au moment de la collision », dit Patol Babu.

Le maquilleur eut un sourire. « Au moment de la collision ? Même si vous deviez vous battre contre Dara Singh, cette moustache resterait en place. »

Patol Babu jeta un rapide coup d'œil dans le miroir que l'autre avait à la main. A la vérité, cette moustache lui allait bien. Intérieurement, il loua la perspicacité du metteur en scène.

« Silence ! Silence ! »

L'intermède de la moustache avait provoqué une vague de commentaires de la part des spectateurs. Patol Babu remarqua que la plupart des badauds avaient le regard tourné vers lui.

« Envoyez le son ! »

Patol Babu s'éclaircit la voix. Un, deux, trois, quatre, cinq ; en cinq pas il se retrouverait à l'endroit où devait avoir lieu la collision. Chanchal Kumar, lui, avait à faire quatre pas. Ainsi donc, s'ils s'élançaient en même temps, il fallait que lui, Patol Babu, marche un peu plus vite que le héros, sans cela...

« Attention !... »

Patol Babu tenait le journal ouvert. En disant « Oh ! », il lui fallait mêler soixante doses d'irritation à quarante doses de surprise.

« Moteur ! »

Clop, clop, clop, clop, clop — Paf !

Patol Babu vit des étoiles danser devant ses yeux. Le crâne du jeune homme venait de lui percuter le front, et une douleur atroce lui ôta ses esprits durant quelques secondes.

Par un gigantesque effort de volonté, il se ressaisit, et mêlant cinquante doses de douleur à vingt-cinq de surprise et autant d'irritation, il cria : « Oh ! », puis, après un bref arrêt, reprit sa marche.

« Coupez ! »

« C'était bon ? demanda-t-il anxieusement en revenant vers Baren Mullick.

— Pas mal du tout ! C'est que vous faites un sacré comédien ! Sosanko, jette donc un coup d'œil au ciel dans ta cellule. »

Jyoti s'approcha de Patol Babu. « J'espère que Papi ne s'est pas fait mal ?

— Dites donc ! lança Chanchal Kumar en se massant le crâne. Vous avez si bien calculé votre coup que j'ai failli tomber dans les pommes ! »

Naresh Dutt se fraya un passage entre les badauds et vint trouver Patol Babu. « Vous pouvez retourner là-bas. Je viens vous voir dans une minute pour régler les détails. »

Patol Babu regagna la boutique du marchand de *paan*. Le gros nuage venait de voiler le soleil ; la température avait brusquement chuté. Patol Babu retira néanmoins sa veste et poussa un soupir de soulagement. Un sentiment d'intense satisfaction le submergeait.

Il s'était parfaitement acquitté de son travail. Toutes ces années de lutte n'avaient pas émoussé sa sensibilité. Gogon Pakrashi eût été content de sa prestation. Ces gens étaient-ils capables d'apprécier la somme de travail et d'imagination qu'il avait investie dans ce seul plan ? Il en doutait. Ils se bornaient à engager des individus pour leur faire exécuter certaines évolutions, puis ils les payaient et n'y pensaient plus. Ils les payaient, oui, mais combien ? Dix, quinze, vingt roupies ? Il avait certes grand besoin d'argent, mais que représentaient vingt roupies à côté de l'intense satisfaction d'un petit travail réalisé avec soin et amour ?

Dix minutes plus tard, Naresh Dutt se rendit à la boutique du marchand de *paan* et n'y trouva pas Patol Babu. Bizarre... il était parti sans toucher son dû. Quel type étrange !

« Le soleil vient de réapparaître, lança là-bas Baren Mullick. Silence ! Silence ! Naresh, dépêche-toi de faire dégager le champ ! »

Gros Bec

Près de la table de Tulsi Babu, dans son bureau du huitième étage d'un immeuble de Old Court House Street, il est une fenêtre orientée à l'ouest d'où l'on embrasse une grande partie du ciel. Le voisin de Tulsi Babu, Jaganmoy Dutt, venait un matin de gagner cette fenêtre afin d'y cracher son bétel, lorsqu'il remarqua un arc-en-ciel double. Il émit une exclamation de surprise et se retourna vers Tulsi Babu. « Venez jeter un coup d'œil, sir. Vous ne verrez pas ça tous les jours. »

Tulsi Babu quitta son bureau et se rendit à la fenêtre.

« De quoi parlez-vous ? demanda-t-il.

— Mais de ce double arc-en-ciel ! fit Jaganmoy Dutt. Seriez-vous daltonien ? »

Tulsi Babu regagna son bureau. « Je ne vois pas ce qu'il y a de si extraordinaire dans un arc-en-ciel double. Même s'il y en avait une vingtaine, il n'y aurait pas de quoi s'extasier. Autant aller s'abîmer dans la contemplation de l'église à deux clochers de Lower Circular Road ! »

Tout le monde n'est pas pourvu du même sens du merveilleux, mais on a de bonnes raisons de penser que Tulsi Babu en est totalement dépourvu. Une seule chose ne manque jamais de l'étonner : l'excellence du *kebab* de mouton du restaurant Mansur. Le seul à être au courant est l'ami et collègue de Tulsi Babu, Prodyot Chanda.

Étant donc à ce point sceptique de nature, Tulsi Babu ne fut pas autrement surpris de trouver, alors qu'il cherchait des plantes médicinales dans les forêts de Dandakaranya, un œuf d'une taille exceptionnelle.

Il s'intéresse depuis une quinzaine d'années à la médecine par les plantes ; son père était un herboriste de renom. S'il gagne surtout sa vie comme cadre supérieur chez Arbuthnot & Co, il n'a cependant pu se résoudre à abandonner tout à fait l'activité familiale. Dernièrement, il y a consacré un peu plus de temps du fait que deux citoyens parmi les plus en vue de Calcutta ont bénéficié de ses prescriptions, donnant ainsi un coup de pouce à sa réputation d'herboriste à mi-temps.

C'était une nouvelle fois les simples qui l'attiraient à Dandakaranya. Il avait entendu dire qu'à une cinquantaine de kilomètres dans le nord de Jagdalpur, dans une caverne, vivait un ermite qui connaissait certaines plantes médicinales, et en particulier l'une d'elles qui était encore plus efficace contre l'hypertension que la *rawolfia serpentina*. Tulsi Babu souffrait lui-même d'hypertension ; la *serpentina* ne lui avait pas été d'un grand secours, et il ne croyait ni à l'homéopathie ni à l'allopathie.

Pour ce voyage à Jagdalpur, il avait emmené avec lui son ami Prodyot Babu. Son incapacité à ressentir de la surprise avait souvent agacé Prodyot Babu. Un jour, celui-ci n'avait pu s'empêcher d'émettre ce commentaire : « Tout ce qu'il faut pour apprécier le merveilleux, c'est un peu d'imagination. Vous en êtes si dépourvu que même si un fantôme en grande tenue vous apparaissait, vous n'en seriez pas autrement surpris. » Tulsi Babu avait répondu avec le plus grand calme : « Feindre l'étonnement n'est que de l'affectation. Je n'approuve pas ce genre d'attitude. »

Cette différence de tempérament ne nuisait cependant en rien à leur amitié.

Ils descendirent dans un hôtel de Jagdalpur au début des congés d'automne. En chemin, à bord du Madras Mail, deux jeunes étrangers étaient venus partager leur compartiment. Ils dirent être suédois. L'un d'eux était si grand que sa tête touchait presque le plafond. Prodyot Babu lui avait demandé combien il mesurait, et le jeune homme avait répondu qu'il faisait « deux mètres sept centimètres ». Ce qui équivalait à presque sept pieds. De tout le voyage, Prodyot Babu n'avait pu détacher le regard de ce jeune géant ; Tulsi Babu, lui, n'en avait conçu nul étonnement. Selon lui, un tel gigantisme était tout simplement le résultat du régime alimentaire des Suédois, et n'avait par conséquent rien de surprenant.

Après avoir parcouru deux kilomètres en pleine forêt puis s'être élevés d'une centaine de mètres, ils parvinrent à la caverne de l'ermite Dhumai Baba. Cette caverne était spacieuse mais, le soleil n'y pénétrant jamais, il suffisait d'y faire une dizaine de pas pour se retrouver enveloppé de ténèbres, qu'épaississait la fumée du brasero de l'ermite. Tandis qu'à la lumière de sa torche Prodyot Babu contemplait la profusion de stalactites et de stalagmites, Tulsi Babu interrogea le Baba. Celui-ci parlait d'un arbre connu sous le nom de *chakra-parna*, ce qui en sanscrit signifie « feuilles rondes ». Tulsi Babu n'en avait jamais entendu parler, pas plus qu'il n'était mentionné dans la demi-douzaine d'ouvrages qu'il avait lus sur la médecine par les plantes. En fait, il ne s'agissait pas d'un arbre, mais d'un arbuste. On ne le trouvait que dans un endroit précis de la forêt de Dandakaranya et nulle part ailleurs. Dhumai Baba donna des indications précises que Tulsi Babu nota soigneusement.

On ressortit de la caverne pour aussitôt partir à la recherche du *chakra-parna*. Prodyot Babu était heureux d'avoir accompagné son ami ; il avait jadis chassé le gros gibier, et même s'il avait dû y renoncer en raison de la loi sur la préservation des espèces, la jungle exerçait toujours sur lui un puissant attrait.

Les indications du Baba étaient exactes. Au bout d'une demi-heure de marche, ils atteignirent une ravine qu'ils traversèrent. En trois minutes ils eurent trouvé l'arbuste, à sept pas au sud d'un arbre, un *neem*, foudroyé. C'était un arbuste d'un mètre de haut, à feuilles rondes marquées en leur centre d'une tache rose.

« Quel genre d'endroit est-ce là ? demanda Prodyot Babu en considérant les environs.

— Pourquoi, qu'a-t-il de si extraordinaire ?

— A part ce *neem*, il n'y a pas un seul arbre que je connaisse. Et puis cette humidité… Rien à voir avec les coins que nous venons de traverser. »

Le sol était effectivement très spongieux, mais Tulsi Babu n'y voyait rien de singulier. Car enfin, même à Calcutta la température variait d'un quartier à l'autre. Tollygunge, au sud, était bien plus frais que Shambazar, situé au nord. Qu'y avait-il d'étonnant à ce qu'un coin de la forêt différât d'un autre ? Ce n'était qu'un caprice de la nature.

Tulsi Babu venait à peine de poser le sac et de s'accroupir devant l'arbuste, quand Prodyot Babu l'interrompit brusquement.

« Qu'est-ce que c'est que cette chose ? »

Tulsi Babu l'avait vue lui aussi, mais ne s'en inquiétait pas. « Ça doit être un genre d'œuf », dit-il.

Prodyot Babu avait d'abord cru qu'il s'agissait d'une pierre ovoïde, mais il vit en s'approchant que c'était bien un œuf, un vrai œuf, jaune, avec des bandes brunes tachées de bleu. A quel animal pouvait appartenir un œuf aussi gros ? A un python ?

Cependant, Tulsi Babu avait déjà cueilli des feuilles à l'arbuste et les avait mises dans son sac. Il entendait poursuivre sa tâche quand quelque chose se produisit qui lui fit tourner la tête.

L'œuf avait choisi cet instant pour éclore. Prodyot Babu bondit en arrière au premier craquement de la coquille ; il se reprit et avança de quelques pas.

La tête émergeait déjà. Ce n'était ni un serpent, ni un crocodile, ni une tortue, mais un oiseau.

Bientôt, la créature fut entièrement dégagée. Dressée sur deux pattes maigres, elle regardait de tous côtés. Elle était assez massive, à peu près de la taille d'une poule. Prodyot Babu aimait beaucoup les oiseaux et avait chez lui un mynah et un bulbul ; mais jamais il n'avait vu d'oisillon aussi gros, avec un bec aussi grand et d'aussi longues pattes. Son plumage violet était unique, comme l'était, sitôt après l'éclosion, son attitude alerte.

Cependant, Tulsi Babu ne s'intéressa pas le moins du monde à l'oiseau. Il entendait enfourner dans son sac autant de feuilles qu'il pourrait en contenir.

Prodyot Babu inspecta les alentours et dit : « Tout à fait surprenant : aucune trace des parents, du moins dans les environs.

— Bon, dit Tulsi Babu, voilà qui fait assez de surprises

pour une seule journée. » Il chargea le sac sur son épaule. « Il est presque quatre heures. Il faut que nous ayons quitté la forêt avant la nuit. »

Un peu à contrecœur, Prodyot Babu tourna les talons et, à la suite de Tulsi Babu, commença de s'éloigner de l'oiseau.

Un bruit de pas le fit se retourner.

L'animal s'était mis à les suivre.

« Ça alors !... » fit-il.

Tulsi Babu se retourna à son tour. Le gros oisillon ne le quittait pas des yeux.

Il s'approcha, s'immobilisa devant lui, ouvrit un bec immense et agrippa le bord de son *dhoti*.

Prodyot Babu était si stupéfait qu'il fut incapable de proférer la moindre parole, jusqu'à ce qu'il vît Tulsi Babu se saisir de l'oiseau et l'enfourner dans son sac. « Mais qu'est-ce que vous fabriquez ? gémit-il, l'air atterré. Vous comptez vraiment l'emporter ?

— J'ai toujours eu envie d'un animal domestique, dit Tulsi Babu en reprenant sa marche. On adopte bien des chiens bâtards. Pourquoi pas un oiseau inconnu ? »

Prodyot Babu vit l'oiseau passer la tête à l'extérieur du sac, qui se balançait au rythme de la marche, et regarder de tous côtés avec de gros yeux ronds.

Tulsi Babu habitait un appartement au premier étage d'un immeuble de Masjidbari Street. En plus de lui, qui était célibataire, vivaient là son domestique Natobar et son cuisinier Joykesto. L'autre appartement de ce palier était occupé par Tarit Sanyal, directeur de l'imprimerie Nabarun. M. Sanyal était un homme prompt à s'emporter, et les fréquentes pannes de courant, qui affectaient grandement le fonctionnement de son atelier, n'étaient pas pour lui adoucir le caractère.

Deux mois s'étaient écoulés depuis que Tulsi Babu était rentré de Dandakaranya. Il avait mis l'oisillon dans une cage commandée sitôt son retour. On l'avait placée dans le coin intérieur de la véranda. Il avait baptisé l'oiseau d'un nom sanscrit, *Brihat-Chanchu*, ou Gros Bec ; bientôt, on laissa tomber le « Gros », et ce ne fut plus que Bec.

Dès le premier jour, à Jagdalpur, Tulsi Babu avait essayé

de lui donner du grain. L'oisillon n'en avait pas voulu. Tulsi Babu en avait conclu avec justesse qu'il était probablement carnassier, et l'avait depuis nourri d'insectes. L'appétit de l'oiseau n'avait cessé de croître, et Tulsi Babu avait été contraint de lui donner de la viande. Natobar allait régulièrement acheter des abats au marché, ce qui explique peut-être la croissance rapide de l'animal.

Tulsi Babu avait eu l'intelligence d'acheter une cage qui faisait plusieurs fois la hauteur de l'oiseau. Il avait su d'instinct que le volatile appartenait à une espèce de grande taille. Le toit de cette cage se trouvait à soixante-quinze centimètres au-dessus du sol, mais un beau jour Tulsi Babu remarqua que lorsque Bec se redressait, sa tête touchait presque. Même s'il n'était âgé que de deux mois, il allait bientôt lui falloir une nouvelle cage.

On n'a encore rien dit du cri de l'oiseau, qui fit s'étrangler M. Sanyal un matin qu'il prenait le thé sur la véranda. En temps normal, les deux voisins s'adressaient rarement la parole ; ce jour-là, après qu'il se fut remis de sa quinte de toux, M. Sanyal exigea de savoir quel genre d'animal était capable d'émettre semblable hurlement. Ce cri s'apparentait effectivement plus à celui d'un fauve qu'à celui d'un oiseau.

Tulsi Babu était en train de se vêtir pour aller à son travail. Il apparut à la porte-fenêtre de sa chambre et déclara : « Ce n'est pas un animal, c'est un oiseau. Et quel que soit son cri, il n'empêche pas les gens de dormir comme le fait votre chat. »

La réponse mit un terme à l'incident, même si M. Sanyal continua de grommeler. C'était une bonne chose que la cage ne fût pas visible de chez lui ; s'il avait eu un aperçu de l'oiseau, cela aurait pu avoir des conséquences plus sérieuses.

Si son aspect ne troublait nullement Tulsi Babu, en revanche il inquiétait fortement Prodyot Babu. Les deux amis se rencontraient rarement en dehors des heures de bureau, si ce n'est une fois par semaine pour aller déguster *kebab* et *paratha* au restaurant Mansur. Prodyot Babu avait une famille nombreuse et maintes responsabilités. Mais, depuis le voyage à Dandakaranya, il ne cessait de penser à cet oiseau. En conséquence, il se rendait de temps à autre chez Tulsi Babu, le soir après le travail. L'étonnante vitesse de croissance de l'oiseau, les changements qui s'opéraient dans son aspect lui étaient une source constante d'étonnement. Il n'arrivait pas à comprendre pourquoi Tulsi Babu s'en souciait si peu. Jamais il n'eût imaginé que le regard d'un oiseau pût avoir l'air aussi malveillant. Au centre d'un iris jaune, les pupilles noires se fixaient sur lui et le mettaient fort mal à l'aise. Bien sûr, le bec de l'oiseau grossissait en même temps que son corps ; d'un noir luisant, il ressemblait à un bec d'aigle, à ceci près qu'il était disproportionné par rapport au reste du corps. Il apparaissait clairement, à ses ailes rudimentaires, à ses longues pattes et ses serres aiguës, que cet oiseau ne pouvait voler. Prodyot Babu l'avait décrit à nombre de ses connaissances, mais personne n'avait été capable de l'identifier.

Prodyot Babu vint un dimanche chez Tulsi Babu avec un appareil-photo emprunté à son neveu. Comme la cage n'était pas suffisamment éclairée, il avait également apporté un flash. La photographie avait jadis été au nombre de ses passe-temps, et il rassembla une dose suffisante de courage pour pointer l'appareil vers l'oiseau et presser sur le déclencheur. L'éclair du flash ne fut pas du goût de l'animal ; il eut un cri de protestation qui fit reculer Prodyot Babu. Celui-ci eut alors l'idée d'enregistrer ce cri ; combiné à la photo, un tel enregistrement pourrait permettre d'identifier l'espèce. Quelque chose lui trottait dans la tête ; il n'en avait pas encore parlé à Tulsi Babu, mais quelque part, dans un livre ou une revue, il avait vu la représentation d'un oiseau qui ressemblait fortement à Bec. S'il retrouvait cette image, il la comparerait à la photo.

Tandis que les deux amis prenaient le thé, Tulsi Babu fit une révélation. Depuis l'arrivée de Bec, corneilles et moineaux avaient cessé de fréquenter les environs. Ce n'était pas un mal car les moineaux construisaient leur nid dans les coins les plus invraisemblables, et les corneilles venaient chaparder dans la cuisine. Tout cela avait cessé.

« Vraiment ? demanda Prodyot Babu, surpris comme toujours.

— Cela fait un moment que vous êtes arrivé ; avez-vous vu d'autre oiseau que Bec ? »

Prodyot Babu réalisa qu'en effet il n'en avait vu ni entendu. « Et vos domestiques ? Est-ce qu'ils s'y sont habitués ?

— Le cuisinier n'approche jamais de la cage. C'est Natobar qui lui donne à manger à l'aide de pincettes. Même si cela ne lui plaît pas, il n'en a encore rien dit. Dès que Bec commence à faire le méchant, il suffit que je me montre pour qu'il se calme aussitôt. A propos, pourquoi l'avoir pris en photo ? »

Prodyot Babu ne dit pas la vraie raison. « Cela vous fera un souvenir quand il ne sera plus. »

Prodyot Babu fit développer et tirer la photo dès le lendemain. Il en fit également faire deux agrandissements. Il en donna un à Tulsi et apporta l'autre à l'ornithologue Ranajoy Shome. Quelques jours plus tôt, un article de M. Shome sur les oiseaux du Sikkim avait paru dans l'hebdomadaire *Desh*.

Mais le savant fut incapable d'identifier l'oiseau d'après la photographie. Il demanda où on pouvait le voir, et Prodyot mentit de façon éhontée. « C'est un ami d'Osaka qui m'a envoyé cette photo. Il espérait que je saurais l'identifier. »

Tulsi Babu nota la date dans son journal, le 14 février 1980. Gros Bec, qui avait été transféré le mois précédent d'une cage d'un mètre de hauteur à une cage d'un mètre trente, s'était cette nuit-là rendu coupable d'un méfait.

Tulsi Babu avait été réveillé par un bruit inquiétant. Une série de claquements secs et métalliques. Puis cela avait cessé et le silence était retombé.

Cependant, Tulsi Babu soupçonnait que quelque chose se passait. Il avait quitté sa moustiquaire. A travers le moucharabieh, le clair de lune inondait le sol de la chambre. Tulsi Babu mit ses savates, prit sur la table sa lampe électrique et sortit sur la véranda.

Dans le faisceau de la torche, il vit que le treillage de la cage avait été déchiré et qu'un trou assez grand pour le passage de l'oiseau y avait été pratiqué. La cage était vide.

Tulsi Babu ne découvrit rien d'autre de ce côté-ci de la véranda. Plus loin, elle faisait un coude et s'orientait à droite, vers l'appartement de M. Sanyal.

Tulsi Babu se précipita jusqu'au coin du mur et braqua la torche sur sa droite.

C'était exactement ce qu'il craignait.

Le chat de M. Sanyal était le prisonnier impuissant du formidable bec de l'oiseau. Les taches qui luisaient sur le sol étaient de toute évidence des taches de sang. Mais le chat était encore vivant et se débattait.

Tulsi Babu cria : « Bec. » L'oiseau laissa aussitôt tomber le chat. Puis il avança à grands pas, tourna le coin et réintégra tranquillement sa cage.

Même en cet instant critique, Tulsi Babu ne put s'empêcher de pousser un soupir de soulagement.

La porte de la chambre de M. Sanyal était fermée d'un cadenas ; après les mois très éprouvants de décembre et janvier, au cours desquels il imprimait des ouvrages scolaires, M. Sanyal était parti en vacances trois jours plus tôt.

Le mieux à faire était de jeter ce chat dans la rue. Chaque jour, chiens et chats errants se faisaient écraser dans les rues de Calcutta ; cela n'en ferait qu'un de plus.

Tulsi Babu ne ferma pas l'œil du reste de la nuit.

Le lendemain, Tulsi Babu dut s'absenter du bureau pendant une heure pour se rendre au service des réservations de la gare ; il se trouvait qu'il connaissait un des employés, ce qui lui facilita les choses. Prodyot Babu lui avait demandé des nouvelles de l'oiseau, et il avait répondu qu'il se portait bien. Puis, après un temps de réflexion, il avait ajouté : « Je songe à faire encadrer le portrait que vous en avez fait. »

Le 24 février, Tulsi Babu mit pour la seconde fois les pieds à Jagdalpur. Une caisse contenant Bec l'accompagnait dans le wagon de marchandises du même train. Cette caisse était percée d'un trou pour la ventilation.

Tulsi Babu engagea deux coolies et prit un car afin de se rendre à l'endroit précis de la forêt où il avait trouvé l'oiseau. Il descendit à une certaine borne de la grand-route et, les coolies se chargeant de la caisse, se mit en chemin vers le *neem* foudroyé. Il fallut presque une heure pour y arriver. Les coolies posèrent la caisse à terre. Ils avaient déjà été grassement payés, et savaient qu'il ne leur restait plus qu'à ouvrir la caisse. Ce fut fait, et Tulsi Babu fut soulagé de voir que Bec était en bon état. Bien sûr, à la vue de l'oiseau, les deux coolies s'enfuirent en hurlant, mais cela ne perturba pas Tulsi Babu. Il était arrivé à ses fins. Bec le regardait fixement. Son crâne touchait déjà le toit de cette cage d'un mètre trente.

« Adieu, Bec. »

Mieux valait hâter la séparation. Tulsi Babu rebroussa chemin. Lorsqu'il arriva au bureau le lundi matin, il ne parla à personne de ce qu'il avait fait la veille, pas même à Prodyot Babu, qui bien sûr lui demanda où il était passé. Tulsi Babu répondit qu'il s'était rendu au mariage d'une nièce à Naihati.

Venu en visite une quinzaine de jours plus tard, Prodyot Babu s'étonna de trouver la cage vide. Il demanda ce qu'il était advenu de l'oiseau. « Il est parti », dit Tulsi Babu.

Prodyot en conclut que Bec était mort. Il se sentit quelque remords. Lorsqu'il avait dit que la photo serait pour Tulsi Babu un souvenir quand Bec ne serait plus, il ne le pensait pas sérieusement ; jamais il n'aurait imaginé que l'oiseau pût mourir aussi vite. La photographie en question avait été encadrée et accrochée dans la chambre. Tulsi Babu paraissait ne pas être en train ; l'atmosphère était lugubre. Afin de changer les idées de son ami, Prodyot Babu fit une suggestion. « Cela fait un bout de temps que nous n'avons été chez Mansur. Si nous allions manger des *kebabs* et du *paratha* ce soir ?

— J'ai peur d'en avoir perdu le goût. »

Prodyot Babu n'en croyait pas ses oreilles. « Perdu le goût des *kebabs* ? Qu'est-ce qui ne va pas ? Vous êtes souffrant ? Avez-vous essayé l'herbe que vous a prescrite l'ermite ? »

Tulsi Babu dit que sa pression sanguine était redevenue normale depuis qu'il prenait du jus de *chakra-parna*. Mais il omit de dire qu'il avait complètement laissé tomber les plantes médicinales tout le temps que Bec avait été là, et qu'il ne s'y était remis que depuis une semaine.

« A propos, dit Prodyot Babu, c'est l'herbe qui m'y fait penser : avez-vous lu ce que racontent les journaux aujourd'hui, au sujet de la forêt de Dandakaranya ?

— Qu'est-ce qu'ils en disent ? »

Tulsi Babu prenait régulièrement un quotidien, mais dépassait rarement la première page. Le journal traînait à peu de distance. Prodyot Babu s'en saisit et montra l'article en question. Le titre en était « La Bête de Dandakaranya ».

On y relatait la menace subite et inattendue qui pesait sur la volaille et les animaux domestiques des villages entourant les forêts de Dandakaranya. Un animal inconnu faisait des ravages. Aucun tigre ne vivait dans cette région, et l'on avait pu prouver que ce carnage était le fait d'une créature qui n'appartenait pas au groupe des félins. Le tigre traîne habituellement sa victime jusqu'à sa tanière ; cette bête ne le faisait pas. Les shikaris engagés par le gouvernement du Madhya Pradesh avaient battu la région pendant toute une semaine sans parvenir à localiser l'animal responsable de ces dévastations. Il en avait résulté un vent de panique parmi les villageois. L'un d'eux affirmait avoir vu une créature bipède s'éloigner en courant de son étable. Il avait ensuite retrouvé son buffle égorgé, une part considérable du bas abdomen dévorée.

Tulsi Babu lut l'article, replia le journal et le reposa sur la table.

« Ne me dites pas que vous ne trouvez rien d'exceptionnel à cette histoire ? » dit Prodyot Babu.

Tulsi Babu secoua la tête. En d'autres termes, il ne voyait rien là d'extraordinaire.

Trois jours plus tard, une chose étrange arriva à Prodyot Babu.

Pour le petit déjeuner, sa femme ouvrit une boîte de biscuits et les lui servit en même temps que le thé.

L'instant suivant, Prodyot Babu quitta la table et se rua hors de la maison.

C'est tout tremblant d'excitation qu'il arriva à l'appartement de son ami Animesh, sur Ekdalia Road.

Animesh était en train de lire le journal. Prodyot Babu le lui arracha des mains et demanda : « Où ranges-tu tes exemplaires du *Readers' Digest* ? Vite ! C'est très important ! »

Animesh partageait avec des millions d'autres lecteurs un vif intérêt pour le *Readers' Digest*. Il était fortement surpris de l'attitude de son ami, mais n'eut pas le loisir de le lui dire. Il alla jusqu'à sa bibliothèque et tira du rayonnage inférieur plusieurs douzaines d'exemplaires du magazine.

« Quel numéro veux-tu ? »

Prodyot Babu prit l'ensemble de la pile, se mit à feuilleter exemplaire après exemplaire et finit par trouver ce qu'il cherchait.

« Oui, c'est bien lui. Pas de doute là-dessus. »

Il contemplait la photo d'une maquette conjecturale que l'on conservait au musée d'histoire naturelle de Chicago. On y voyait un oiseau gigantesque sur lequel un employé passait le plumeau.

« Andalgalornis », disait la légende. Ce nom signifiait oiseau-terreur. Il s'agissait d'une espèce préhistorique, énorme, carnivore, plus rapide à la course qu'un cheval, et extrêmement féroce.

Les soupçons qui hantaient Prodyot Babu furent confirmés quand, le lendemain matin au bureau, Tulsi Babu vint lui dire qu'il était obligé de retourner à Dandakaranya et qu'il serait ravi si lui, Prodyot Babu, voulait bien l'accompagner et apporter son fusil. L'affaire étant assez urgente, on partirait sans avoir pu réserver des couchettes.

Prodyot Babu accepta aussitôt.

Tout à leur émoi, les deux amis ne furent pas gênés par l'inconfort du voyage. Prodyot Babu ne parla pas de l'oiseau du *Readers' Digest*. Il le ferait plus tard ; il aurait tout le temps pour cela. Entre-temps, Tulsi Babu lui avait en revanche tout raconté. Il avait également précisé qu'il ne pensait pas que l'on aurait à se servir du fusil, et qu'on ne l'emportait que par précaution. Prodyot Babu ne partageait pas l'optimisme de son ami. Il estimait le fusil capital, et se sentait prêt à toute éventualité. Le journal du jour rapportait que le gouvernement du Madhya Pradesh avait promis une récompense de cinq mille roupies à qui parviendrait à tuer ou capturer la créature, que l'on avait proclamée mangeuse d'homme depuis que le fils d'un bûcheron en avait été la victime.

A Jagdalpur, on obtint de M. Tirumalai, conservateur des Eaux et Forêts, la permission de tirer la bête. Mais il prévint Tulsi Babu et Prodyot Babu qu'ils ne pouvaient compter que sur eux-mêmes car plus personne ne voulait se risquer en forêt.

Prodyot Babu demanda si l'on savait quelque chose des shikaris qui les avaient précédés. Le visage de Tirumalai s'assombrit. « Jusqu'à présent quatre shikaris ont essayé de tuer la bête. Trois sont rentrés bredouilles. Le quatrième n'a pas reparu.

— Il n'a pas reparu ?

— Non. Depuis, les autres shikaris refusent de prêter leurs services. C'est pourquoi vous feriez mieux d'y réfléchir à deux fois avant d'entreprendre cette expédition. »

Prodyot Babu était quelque peu ébranlé, mais la nonchalance de son compagnon ranima son courage. « Nous y allons », dit-il.

Cette fois, ils durent faire plus de chemin à pied, car le taxi refusa de prendre la piste qui s'engageait dans la forêt. Tulsi Babu avait bon espoir que l'affaire se fît en deux heures, et le chauffeur accepta de les attendre contre un pourboire supplémentaire de cinquante roupies. Les deux amis se mirent en marche.

On était au printemps, et la forêt avait un aspect bien différent de celui qu'elle offrait les fois précédentes. La nature suivait son cours. Cependant, un grand silence baignait toute chose. On n'entendait aucun oiseau, pas même le coucou.

Comme à l'accoutumée, Tulsi Babu avait sa musette en bandoulière. Prodyot savait qu'elle contenait un paquet, dont il ne connaissait cependant pas la nature. Il portait pour sa part le fusil et les cartouches.

À travers une végétation devenue moins dense, les deux compagnons purent voir d'assez loin le corps d'un homme gisant les bras en croix sous un alisier. Tulsi Babu ne l'avait pas remarqué, et ne s'arrêta que lorsque Prodyot Babu le lui désigna. Celui-ci serra un peu plus fort son fusil et marcha vers le corps inanimé. Tulsi Babu ne semblait que vaguement s'intéresser à la découverte.

Prodyot Babu parcourut la moitié du chemin, puis revint sur ses pas.

« On jurerait que vous avez rencontré un fantôme, fit Tulsi Babu lorsque son ami fut près de lui. N'est-ce pas le shikari manquant ?

— C'est sans doute lui, dit Prodyot Babu d'une voix altérée. Mais le cadavre ne sera pas facile à identifier. Il lui manque la tête. »

Ils n'échangèrent pas une parole pendant le reste du trajet.

Il leur fallut une heure pour atteindre l'arbre foudroyé,

ce qui signifiait qu'ils avaient dû parcourir au moins cinq kilomètres. Prodyot Babu remarqua que l'arbuste médicinal portait de nouvelles feuilles et avait recouvré sa forme originale.

« Bec ! Beeec ! »

Cela avait quelque chose d'un peu comique, et Prodyot Babu ne put s'empêcher de sourire. Mais il réalisa aussitôt que pour Tulsi Babu cet appel allait de soi. Ainsi qu'il en avait été témoin, son ami était parvenu à apprivoiser l'oiseau monstrueux.

L'appel de Tulsi Babu se répercutait dans la forêt.

« Bec ! Bec ! Beeec ! »

Prodyot Babu vit soudain quelque chose bouger au loin dans le feuillage. Cela venait droit sur eux, et à une telle vitesse que cela semblait grossir à chaque instant.

C'était l'oiseau monstrueux.

Prodyot Babu eut l'impression que le fusil devenait très lourd entre ses mains. Il se demanda s'il serait capable d'en faire usage.

L'oiseau avait ralenti et approchait maintenant avec méfiance, à demi dissimulé par la végétation.

Andalgalornis. Jamais Prodyot Babu ne pourrait oublier ce nom. Un oiseau de la taille d'un homme. L'autruche est grande elle aussi, mais c'est en grande partie à cause de son cou. A lui seul, le dos de cette bête arrivait à hauteur d'un homme de taille moyenne. En d'autres termes, l'oiseau avait pris quarante-cinq centimètres en tout juste un mois. La couleur de son plumage avait elle aussi changé. Le violet s'était tacheté de noir. Et le regard mauvais de ses yeux jaunes, que Prodyot Babu arrivait à soutenir lorsque l'oiseau était captif, aujourd'hui le terrifiait. L'oiseau fixait son ancien maître.

Il était impossible de prévoir ce qu'il allait faire. Voyant dans cette immobilité le prélude à une attaque, Prodyot Babu avait tenté de lever son arme au bout de ses bras tremblants. A l'instant même, l'oiseau braqua son regard sur lui, gonflant son plumage pour se donner l'air encore plus terrifiant.

« Abaissez votre fusil », souffla Tulsi Babu d'un ton de commandement.

Prodyot Babu s'exécuta. L'oiseau relissa ses plumes et reporta son regard sur son maître.

« Je ne sais pas si tu as encore faim, dit alors Tulsi Babu, mais j'espère que tu vas manger cela, car c'est moi qui te le donne. »

Il avait déjà sorti le paquet de sa musette. Il défit l'emballage et jeta le contenu en direction de l'oiseau. Il s'agissait d'une grosse pièce de viande.

« Tu as été cause de ma honte. J'espère que tu te conduiras bien dorénavant. »

Prodyot Babu vit l'oiseau saisir la viande dans son énorme bec et se mettre à la mastiquer.

« Adieu pour de bon, cette fois. »

Tulsi Babu s'en fut. Prodyot Babu, craignant de tourner le dos à l'oiseau, s'éloigna à reculons sans le quitter des yeux. Voyant que l'animal ne cherchait ni à le suivre ni à l'attaquer, il tourna les talons et rejoignit son ami.

Une semaine plus tard, les journaux annonçaient qu'à Dandakaranya la vague de terreur avait pris fin. Prodyot Babu n'avait rien dit à Tulsi Babu de l'*Andalgalornis* et du fait que l'espèce s'était éteinte trois millions d'années plus tôt. Mais ayant lu les journaux du jour, il ne put s'empêcher de revenir sur le sujet. « Je ne vois vraiment pas ce qui a pu régler le problème, dit-il. Peut-être allez-vous éclairer ma lanterne ?

— Rien de bien mystérieux dans tout cela, répondit Tulsi Babu. J'ai tout simplement additionné un remède à la viande que je lui ai donnée.

— Un remède ?

— De l'extrait de *chakra-parna*. Cela vous rend végétarien. C'est aussi l'effet que cela a eu sur moi. »

Le chien d'Ashamanja Babu

Un des souhaits les plus chers d'Ashamanja Babu fut exaucé alors qu'il se rendait chez un ami à Hashimara. Ashamanja Babu vit dans une pièce et demie sur Mohini Mohan Road à Bhowanipore. Employé au guichet des recommandés du bureau de poste de Lajpat Rai, et habitant à sept minutes de marche de là, il n'a pas à endurer les fatigues du tram ou du bus. N'étant pas du genre à méditer sur ce qu'il aurait pu faire ou être si le sort lui avait été plus clément, Ashamanja Babu est plutôt satisfait de son lot. Deux films en hindi et une douzaine de paquets de cigarettes par mois, deux parties de pêche par semaine suffisent à son bonheur. Toutefois, étant célibataire et comptant peu d'amis, il a souvent désiré posséder un chien. Pas un gros chien comme le berger allemand de chez Talukdar, à deux maisons de là vers l'est, mais un chien de taille moyenne qui lui tiendrait compagnie, agiterait la queue lorsqu'il rentrerait du travail et lui témoignerait amour et dévotion en obéissant à ses ordres. Une des coquetteries d'Ashamanja Babu était qu'il s'adresserait en anglais à son chien. « Stand up », « Sit down », « Shake hands »... comme ce serait bien s'il répondait à de tels commandements ! Ashamanja Babu aimait à croire que les chiens étaient de race anglaise. Oui, un chien anglais dont il serait le maître. Voilà qui le rendrait tout à fait heureux.

Un jour qu'il n'avait cessé de bruiner, Ashamanja Babu se rendit donc au marché de Hashimara pour y acheter des oranges. A un bout du marché, près d'un *kul* rabougri, était assis un Bhutanais qui tenait une cigarette entre pouce et index. Lorsque leurs regards se croisèrent, l'homme sourit. S'agissait-il d'un mendiant ? C'est l'apparence que lui donnaient ses vêtements, car veste et pantalon ne comptaient pas moins de cinq pièces. Mais l'inconnu n'avait pas de sébile. A côté de lui était posée une boîte à chaussures de laquelle un petit chiot faisait dépasser sa tête.

« Bonjour ! » lança en anglais le Bhutanais, les yeux plissés par un sourire. Ashamanja Babu ne pouvait pas ne pas lui retourner son salut.

« Acheter chien ? Chien acheter ? Très bon chien. » L'homme avait sorti le chiot de la boîte pour le poser à terre. « Pas cher. Bon chien. Très joyeux. »

Le petit animal s'ébroua, regarda Ashamanja Babu et se mit à remuer une queue longue comme le petit doigt. Un gentil petit chien.

Ashamanja Babu avança de quelques pas, s'accroupit et tendit les mains. Le chiot sortit un bout de langue rose et lui lécha l'annulaire. Un bien gentil petit chien.

« Combien ? Quel est le prix ?

— Dix roupies. »

Quelques secondes de marchandage, et le prix descendit à sept roupies cinquante. Ashamanja paya, remit le chiot dans la boîte à chaussures, ferma le couvercle pour lui éviter la pluie, et se rendit chez son ami, oubliant complètement les oranges.

Biren Babu, qui travaillait à la Hashimara State Bank, ignorait tout du désir de son ami d'avoir un chien. Il fut naturellement surpris et un peu inquiet en découvrant le contenu de la boîte à chaussures. En apprenant le prix qu'avait coûté le chiot, il poussa cependant un soupir de soulagement. « Mais pourquoi venir jusqu'à Hashimara pour acheter un corniaud ? demanda-t-il, vaguement réprobateur. Tu aurais aussi bien pu en trouver un à Bhowanipore. »

Ashamanja Babu savait que ce n'était pas vrai. Il avait souvent vu des chiots bâtards dans les rues de son quartier. Aucun n'avait remué la queue en le voyant ni ne lui avait léché les mains. Quoi que pût dire Biren, ce chien avait quelque chose de spécial. En revanche, le fait que ce fût un corniaud le décevait un peu et il en fit part à son ami. « Mais sais-tu ce que cela signifie d'avoir un chien à pedigree ? rétorqua aussitôt celui-ci. A eux seuls les honoraires du vétérinaire te coûteraient la moitié de ton salaire. Avec ce chien, tu n'as pas de soucis à te faire. Tu n'auras même pas à lui composer un régime spécial. Il mangera exactement ce que tu manges. Surtout ne lui donne pas de poisson. Le poisson, c'est pour les chats ; les arêtes, ça ne vaut rien aux chiens. »

De retour à Calcutta, Ashamanja Babu se dit tout à coup qu'il lui fallait trouver un nom pour son chiot. Il tenait à lui donner un nom anglais, mais le seul qu'il trouva était Tom. Enfin, un beau jour qu'il contemplait l'animal, il lui traversa l'esprit que, puisqu'il avait le pelage brun, Brownie serait un nom approprié. Un de ses cousins possédait un appareil-photo de fabrication anglaise baptisé Brownie ; ce nom devait donc être un nom anglais. Dès qu'il entendit son maître prononcer ce nom, le chiot sauta du tabouret en osier pour venir vers lui en remuant la queue. Ashamanja Babu dit « Assis » en anglais. Aussitôt le chiot s'assit sur son arrière-train et ouvrit la gueule pour un petit bâillement. Ashamanja Babu eut la vision fugitive de Brownie remportant le premier prix d'intelligence dans un concours canin.

Par chance, Bipin, son domestique, s'était lui aussi pris d'affection pour le chien. Tandis qu'Ashamanja Babu était au bureau, Bipin se chargeait de veiller sur Brownie. Il avait reçu pour instruction de ne pas lui donner à manger de déchets. « Et veille à ce qu'il n'aille pas dans la rue. C'est à croire que de nos jours les automobilistes ont des œillères. » Cependant, en dépit des consignes données à son serviteur, Ashamanja Babu demeurait sourdement inquiet jusqu'à ce que, rentrant du travail, il fût accueilli par les manifestations de joie de Brownie.

L'incident eut lieu trois mois après le retour de Hashimara. C'était un samedi 23 novembre. Ashamanja Babu venait de rentrer de son travail et s'était assis sur son vieux fauteuil en bois, seul meuble de la pièce avec le lit et le tabouret d'osier. Soudain, le fauteuil céda sous la charge. Ashamanja Babu se retrouva étendu sur le sol. Il se fit mal et se demandait si, comme le pied vermoulu du siège, son coude n'était pas lui aussi hors d'usage, quand un bruit inattendu lui fit oublier sa douleur.

Cela avait retenti du côté du lit. Un rire ou, plus exactement, un gloussement, dont la source ne pouvait être que Brownie, qui était assis sur le lit et dont les babines étaient encore retroussées.

S'il avait eu des connaissances générales plus étendues, Ashamanja Babu aurait certainement su que les chiens ne rient pas. Et s'il avait possédé un tant soit peu d'imagination, cet incident l'eût privé de sommeil. En l'absence des deux, il se plongea dans la lecture de *Tout sur les chiens*, livre qu'il avait acheté deux roupies chez un bouquiniste de Free School Street. Il compulsa le volume pendant une heure sans rien y trouver sur le rire du chien.

Pourtant, il n'était pas le moins du monde douteux que Brownie avait ri. Et de plus, qu'il avait ri parce qu'il y avait matière à rire. Ashamanja Babu se souvenait parfaitement d'une anecdote de sa propre enfance. Un médecin, venu en visite dans leur maison de Chandernagor, s'était assis dans un fauteuil qui s'était effondré sous son poids. Ashamanja Babu avait éclaté de rire, et s'était d'ailleurs fait tirer les oreilles par son père.

Il referma le livre et considéra Brownie. Rencontrant le regard de son maître, le chiot posa les pattes de devant sur l'oreiller et se mit à remuer la queue ; cet appendice s'était allongé de trois centimètres en trois mois. La physionomie de l'animal ne présentait aucune trace de sourire. Pourquoi eût-il souri, d'ailleurs ? Rire sans raison est signe de folie. Ashamanja Babu fut soulagé de voir que Brownie n'était pas fou.

Au cours de la semaine qui suivit, le chiot eut encore par deux fois l'occasion de rire. Ashamanja Babu venait d'étendre un drap blanc sur le sol afin que Brownie y dormît, quand une blatte entra dans la pièce et se posa sur le mur. Il ramassa une pantoufle et la lança sur l'insecte. Le projectile manqua sa cible et atteignit un miroir qui alla s'écraser sur le sol. Le rire de Brownie le consola de la perte du miroir.

La seconde fois, ce ne fut pas un rire mais un hennissement bref. Ashamanja Babu était interloqué car rien ne s'était vraiment passé. Aussi pourquoi ce ricanement ?

C'est Bipin qui apporta la réponse. Il entra dans la pièce, jeta un coup d'œil à son maître et dit en souriant : « Vous avez de la mousse à raser sur les oreilles. » N'ayant plus de miroir, Ashamanja Babu s'était rasé devant une des vitres de la fenêtre. Il se passa la main sur le visage et s'aperçut que Bipin disait vrai.

Que Brownie pût rire d'une chose aussi insignifiante surprit grandement Ashamanja Babu. Assis derrière son guichet du bureau de poste, ses pensées le ramenaient sans désemparer au sourire de Brownie, à son ricanement. *Tout sur les chiens* ne disait peut-être rien sur le rire du chien, mais s'il pouvait se procurer quelque chose comme une encyclopédie canine, sans doute y trouverait-il une évocation de ce rire.

Lorsqu'il fut allé chez quatre bouquinistes de Bhowanipore et tous ceux du New Market sans parvenir à mettre la main sur une telle encyclopédie, Ashamanja Babu se demanda s'il n'allait pas consulter M. Rajani Chatterji. Ce professeur à la retraite habitait non loin de chez lui dans la même rue. Ashamanja Babu ignorait quelle matière avait enseignée Rajani Babu, mais il avait aperçu, par la fenêtre de ce qui devait être le bureau du professeur, maints gros livres rangés dans une bibliothèque.

Un dimanche matin, Ashamanja Babu invoqua le nom de la déesse Durga et se présenta au domicile du professeur Chatterji. Ne l'ayant jamais vu que de loin, il ne lui savait pas le sourcil aussi épais ni la voix aussi grinçante. Mais, puisque le professeur ne l'avait pas fait éconduire, Ashamanja Babu trouva le courage d'occuper une place sur le sofa. Puis il toussota et attendit. A l'autre bout de la pièce, le professeur posa son journal et porta son attention sur le visiteur.

« Votre visage ne m'est pas inconnu.

— J'habite tout près d'ici.

— Ah bon. Eh bien, que puis-je pour vous ?

— Voilà, j'ai vu que vous aviez un chien, et c'est pourquoi je…

— Oui, et alors ? D'ailleurs nous n'avons pas un, mais deux chiens.

— Ah. J'en ai un moi aussi.

— Avez-vous été chargé de recenser tous les chiens de la ville ? »

Étant un homme simple, Ashamanja Babu n'entendit pas le sarcasme. « Je suis venu vous demander si vous n'auriez pas quelque chose que je cherche.

— De quoi s'agit-il ?

— Je me demandais si vous n'auriez pas une encyclopédie sur les chiens.

— Je n'en ai pas, non. Pourquoi vous en faut-il une ?

— Voyez-vous, il y a que mon chien rit. Et je voulais savoir s'il était naturel qu'un chien rie. Est-ce que vos chiens rient ? »

Le professeur dévisagea Ashamanja Babu pendant que l'horloge murale sonnait huit coups. Puis il demanda : « Est-ce que votre chien rit la nuit ?

— Eh bien... oui. Il rit même la nuit.

— Et où vont vos préférences en matière de drogues ? A elle seule, la *ganja* ne peut produire de tels symptômes. Peut-être prenez-vous en plus du charas et du hachisch ? »

Ashamanja Babu répondit humblement que son seul vice était le tabac, même que depuis l'arrivée du chien il avait dû passer de quatre à trois paquets par semaine.

« Et vous affirmez cependant que votre chien rit ?

— De mes yeux et de mes oreilles, je l'ai vu et entendu rire.

— Écoutez. » Le professeur Chatterji retira ses lunettes, les nettoya à l'aide de son mouchoir, les remit sur son nez et fixa sur Ashamanja Babu un regard sévère. Puis il se mit à déclamer sur un ton doctoral : « Je suis surpris de votre ignorance concernant les réalités fondamentales de la nature. De toutes les créatures que Dieu a créées, seule l'espèce humaine est capable de rire. C'est là une des grandes différences entre l'*homo sapiens* et les autres créatures. Ne me demandez pas pourquoi c'est ainsi, car je ne le sais pas. On dit qu'un animal marin appelé dauphin possède un sens de l'humour. Les dauphins constituent peut-être la seule exception. On n'a pas encore compris pourquoi l'être humain a reçu ce don. Les plus grands philosophes se sont creusé la tête sur ce problème sans parvenir à l'élucider. Vous comprenez ? »

Ashamanja Babu comprenait. Et il comprenait aussi que

le moment était venu de prendre congé, car le professeur avait repris son journal.

Le docteur Sukhomoy Bhowmick — que certains appelaient le docteur Bhow-wowmick* — était un vétérinaire de renom. Pensant qu'à la différence des gens ordinaires, un vétérinaire l'écouterait peut-être, Ashamanja Babu prit un rendez-vous par téléphone et se présenta à sa résidence de Gokhale Road. Brownie avait ri dix-sept fois au cours des quatre derniers mois. Une chose que son maître avait observée était que seuls les incidents amusants le faisaient rire, et non les plaisanteries verbales. Il lui avait récité le *King of Bombardia***, cela sans effet. Cependant, lorsque récemment une pomme de terre d'un plat de curry avait échappé des mains d'Ashamanja Babu pour tomber sur une assiette de caillé, Brownie s'était presque étranglé de rire. Et c'était bien la preuve que le professeur Chatterji, ce personnage érudit, se trompait lorsqu'il affirmait qu'aucune des créatures du Seigneur, hormis l'homme, ne riait.

Ainsi, bien qu'il sût qu'une visite coûtait vingt roupies, Ashamanja Babu amena Brownie chez le vétérinaire.

Avant même qu'il eût été instruit de la particularité de l'animal, le docteur Bhowmick haussa des sourcils pleins d'étonnement. « J'ai déjà vu des corniauds, mais jamais comme celui-ci. »

Il souleva Brownie et le déposa sur le bureau. Le chiot se mit à renifler le presse-papiers en laiton.

« Que lui donnez-vous à manger ?

— Il mange exactement comme moi, monsieur. C'est qu'il n'a pas de pedigree, voyez-vous... »

Le vétérinaire fronçait les sourcils. Il considérait le chien avec grand intérêt. « Un chien de race se reconnaît en général facilement. Il arrive cependant que l'on ait un doute. Ainsi, ce chien... j'hésiterais avant de dire que c'est un bâtard. Je vous conseillerais de ne plus lui donner de riz ni de *dal*. Je vais vous composer un programme diététique pour lui. »

Ashamanja Babu tenta d'énoncer la vraie raison de sa

---

* L'anglais « Bow-wow ! » est l'équivalent de notre « oua-oua ! » *(NdA)*.
** Titre d'un célèbre poème amphigourique bengali *(NdA)*.

venue. « Je, euh, mon chien a une spécialité... c'est pour cela que je vous l'amène.

— Une spécialité ?

— Ce chien rit.

— Il rit ?...

— Oui. Il rit, comme vous et moi.

— Vous m'en direz tant ! Eh bien, pourriez-vous le faire rire, là devant moi ? »

Ashamanja Babu se trouvait tout à coup dans l'embarras. C'était un homme fort timide, aussi était-il tout à fait incapable de faire des grimaces à Brownie pour le faire rire. De plus il était fort peu probable que quelque chose de drôle survînt à l'instant même. Il expliqua donc au docteur que son chien ne riait pas sur commande, mais seulement quand il se produisait quelque chose d'amusant.

Le docteur Bhowmick n'avait plus beaucoup de temps à consacrer à Ashamanja Babu. « Votre chien a suffisamment de caractère comme cela ; n'essayez pas de lui en rajouter en affirmant qu'il rit. Croyez-en mes vingt-deux ans d'expérience : les chiens pleurent, ils peuvent éprouver de la peur, de la colère, de la haine, de la méfiance et de la jalousie. Les chiens peuvent même rêver, mais ils ne rient pas. »

Après cette expérience, Ashamanja Babu prit la décision de ne plus jamais parler à quiconque du rire de Brownie. Évoquer ce rire en l'absence de preuve immédiate ne pouvait apporter que de l'embarras. Quelle importance si les autres restaient dans l'ignorance ? Brownie était son chien, sa propriété. Pourquoi introduire autrui dans leur univers privé ?

Mais l'homme propose et Dieu dispose. Le rire de Brownie devait être un jour révélé à un étranger.

Depuis quelque temps maintenant, Ashamanja Babu avait pris l'habitude d'emmener Brownie se promener l'après-midi du côté du Victoria Memorial. Un jour d'avril, un coup de vent subit les surprit au beau milieu de leur promenade. Considérant l'aspect du ciel, Ashamanja Babu décida qu'il n'était pas prudent de prendre le chemin du retour car la pluie menaçait. Il courut s'abriter sous l'arche de marbre qui supporte la statue équestre.

Cependant, de grosses gouttes commençaient de tomber et les gens couraient en tous sens vers un abri. A une vingtaine de mètres de là, un gros homme en chemise et pantalon de brousse blancs ouvrit son parapluie et le tint au-dessus de sa tête. Soudain, une violente bourrasque retourna le parapluie avec un claquement sonore.

Pour dire vrai, Ashamanja Babu était lui-même sur le point de s'esclaffer, mais Brownie le battit d'une courte tête avec un éclat de rire canin qui couvrit le bruit du vent et parvint à l'oreille de l'infortuné gentleman. Négligeant pour un temps son parapluie, l'homme se mit à fixer Brownie avec l'air de la plus profonde stupéfaction. Celui-ci était saisi d'un fou rire, et Ashamanja Babu avait renoncé à essayer de le museler de sa main.

L'homme s'approchait. Il n'aurait pas eu l'air plus sidéré s'il avait rencontré un fantôme. Le rire de Brownie avait atteint son paroxysme et commençait de s'apaiser, mais il était encore suffisamment audible pour que les yeux de l'inconnu en fussent exorbités.

« Un chien qui rit ?

— Oui, un chien qui rit, fit Ashamanja Babu.

— C'est à peine croyable ! »

L'homme n'était visiblement pas un Bengali. Peut-être un Gujrati ou un Parsi. Ashamanja Babu rassembla son courage pour répondre en anglais aux questions dont il savait qu'il serait bientôt assailli.

Il pleuvait maintenant à verse. L'homme s'abrita au côté d'Ashamanja Babu, et en l'espace de dix minutes apprit tout ce qu'il y avait à savoir au sujet de Brownie. Il prit l'adresse d'Ashamanja Babu. Il dit se nommer Piloo Pochkanwalla. Il connaissait les chiens et écrivait parfois des articles à leur sujet. Ce qu'il venait de vivre surpassait tout ce qu'il avait connu jusqu'à présent et tout ce qu'il connaîtrait dans l'avenir. Il estimait que quelque chose devait être fait, puisque de toute évidence Ashamanja Babu paraissait inconscient de l'inestimable trésor qu'il détenait.

Il ne serait pas faux de dire que Brownie était responsable de ce qui arriva ensuite à M. Pochkanwalla. Traversant Chowringhee Road peu après la fin de l'averse, celui-ci se fit renverser par un minibus ; ce chien hilare lui trottant dans la tête lui avait fait négliger les dangers de la circulation. Après deux mois et demi d'hôpital, il était allé prendre l'air à Naini Tal. Ayant passé un mois dans les collines, il était revenu à Calcutta, et le soir même, au Bengal Club, il avait parlé du chien rieur à ses amis MM. Balaporia et Biswas. Dans la demi-heure, l'histoire arriva aux oreilles de vingt-sept membres et trois employés du cercle. Le lendemain matin, l'anecdote était connue d'au moins un millier de citoyens de Calcutta.

Brownie n'avait pas ri une seule fois au cours de ces trois mois et demi pour la bonne raison qu'il n'avait assisté à aucune situation hilarante. Ashamanja Babu ne s'en inquiétait nullement ; il ne lui était jamais venu à l'esprit de tirer profit de l'extraordinaire don de son chien. Il était heureux de la façon dont ce dernier avait comblé le vide de son existence, et s'y sentait plus attaché qu'à aucun être humain.

Parmi ceux qu'atteignit la nouvelle du chien rieur, figurait un membre du directoire du *Statesman*. Cet homme convoqua le journaliste Rajat Chowdhury et lui suggéra d'aller interviewer Ashamanja Babu.

Celui-ci fut fort étonné de ce qu'un reporter s'intéressât à sa personne. La raison de cette visite lui apparut lorsque Chowdhury parla de Pochkanwalla. Il le fit donc entrer dans sa chambre. Le fauteuil avait été réparé ; Ashamanja Babu y fit asseoir le journaliste et prit place sur le lit. Brownie, qui s'était abîmé dans la contemplation d'une file de fourmis en train de monter au mur, sauta sur le lit et s'assit à côté de son maître.

Rajat Chowdhury allait mettre son magnétophone en marche, quand l'idée vint tout à coup à Ashamanja Babu qu'une mise en garde préalable s'imposait. « Il faut que vous sachiez, monsieur, que mon chien avait coutume de rire assez fréquemment, mais qu'au cours des derniers mois je ne l'ai pas entendu rire une seule fois. C'est pourquoi vous allez peut-être être déçu si vous vous attendez à le voir rire. »

Comme beaucoup de jeunes journalistes pleins d'allant, Rajat Chowdhury montrait toujours une belle assurance en présence d'un bon sujet. Bien qu'il fût un peu déçu, il eut soin de n'en rien montrer. « Ça ne fait rien, dit-il. Je voulais juste vous demander quelques renseignements. Pour commencer, son nom. Comment appelez-vous votre chien ? »

Ashamanja Babu se pencha en avant pour se rapprocher du micro. « Brownie.

— Brownie... » L'œil exercé du reporter nota que le chien s'était mis à remuer la queue en entendant son nom. « Quel âge a-t-il ?

— Un an et un mois.

— Où l'avez-vous t-t-trouvé ? »

Ce n'était pas la première fois que cela arrivait. Ce trouble de la parole dont souffrait Rajat Chowdhury survenait fréquemment au beau milieu d'interviews, le mettant au comble de l'embarras. Il n'en serait pas allé différemment cette fois, si ce bégaiement n'avait de façon inattendue entraîné l'expression de l'extraordinaire faculté de Brownie. Ainsi, Rajat Chowdhury fut après Pochkanwalla le second étranger à voir de ses propres yeux un chien rire à la manière d'un être humain.

Le matin du dimanche qui suivit, dans sa chambre climatisée du Grand Hôtel, M. William P. Moody de Cincinnati, USA, apprit par le journal l'existence d'un chien rieur, et demanda aussitôt à la standardiste de l'hôtel de lui appeler M. Nandy de l'Indian Tourist Bureau. Ayant fait ces derniers jours appel à ses services, M. Moody savait pouvoir compter sur ce M. Nandy, pour qui la ville n'avait plus de mystères. Le *Statesman* donnait le nom et l'adresse du propriétaire de ce chien rieur. M. Moody avait grande hâte de rencontrer ce personnage.

Ashamanja Babu ne lisait pas le *Statesman*. En outre, Rajat Chowdhury ne lui avait pas dit quand paraîtrait l'article, sinon peut-être l'eût-il acheté ce jour-là. C'est au marché au poisson que son voisin, Dutt Kalikrishna, lui en parla.

« Vous faites un sacré cachottier, fit celui-ci. Un an que vous avez chez vous un véritable trésor, et vous n'en avez soufflé mot à personne ! Il faudra que je passe un de ces soirs dire bonjour à votre chien. »

Ashamanja Babu en fut atterré. Les ennuis allaient

commencer. Le voisinage regorgeait de gens comme M. Dutt, qui prenaient le *Statesman* et auraient envie de « passer dire bonjour » à son chien. C'était une perspective des plus accablantes.

Ashamanja Babu prit une décision. Il allait passer la journée loin de chez lui. Emmenant Brownie avec lui, il prit pour la première fois de sa vie un taxi, se fit conduire à la gare de Ballygunge et monta dans un train à destination de Port Canning. A mi-chemin, le train s'arrêta dans une localité du nom de Palsit. Trouvant l'endroit à son goût, Ashamanja Babu y descendit. Il passa la journée au milieu de plantations de bambous et de manguiers et en fut grandement reposé. Brownie semblait lui aussi prendre du bon temps. Le doux sourire qui flottait sur ses traits était quelque chose que son maître ne lui avait encore jamais vu. C'était un sourire paisible, un sourire de contentement et de paix intérieure. Ashamanja Babu avait lu quelque part qu'une année de la vie d'un chien équivalait à sept ans de celle d'un homme. Il avait cependant peine à concevoir un enfant de sept ans se comportant avec une telle sérénité.

Il était plus de sept heures lorsqu'il rentra chez lui. Il demanda à Bipin s'il y avait eu des visites. Le domestique répondit qu'il lui avait fallu aller ouvrir au moins quarante fois. Ashamanja Babu se félicita de sa clairvoyance. A peine avait-il enlevé ses chaussures et demandé une tasse de thé à Bipin, qu'on frappa à la porte d'entrée. « Oh, zut ! » Il alla ouvrir et se trouva face à un étranger. « Vous vous êtes trompé de porte », était-il sur le point de dire quand il vit le jeune Bengali qui se tenait derrière le premier homme. « Qui voulez-vous voir ?

— Vous, dit Shyamol Nandy de l'Indian Tourist Bureau, si le chien qui se trouve derrière vous vous appartient. Il ressemble tout à fait à celui dont parlait le journal de ce matin. Pouvons-nous entrer ? »

Ashamanja Babu était bien obligé de les laisser entrer. L'étranger prit le fauteuil, M. Nandy le tabouret d'osier, tandis que lui-même s'asseyait sur le lit. Brownie, qui paraissait un peu mal à l'aise, demeura sur le seuil de la chambre, peut-être parce que c'était la première fois qu'il y voyait deux inconnus à la fois.

« Brownie ! Brownie ! Brownie ! » L'étranger s'était

penché en avant pour l'appeler plusieurs fois afin de l'attirer dans la pièce. Brownie le fixait du regard et demeurait immobile.

Mais qui sont ces gens ? se demandait Ashamanja Babu lorsque M. Nandy fournit la réponse à cette question. L'autre homme était un riche et distingué citoyen des États-Unis dont la principale raison du séjour en Inde était la recherche de vieilles Rolls-Royce.

L'Américain avait quitté son fauteuil et, accroupi, faisait des grimaces au chien.

Après trois minutes de vaines mimiques, il renonça, se retourna vers Ashamanja Babu et demanda : « Il est malade ? »

Ashamanja Babu secoua la tête.

« Est-ce que vraiment il rit ? » demanda encore l'Américain.

Pour le cas où Ashamanja Babu n'aurait pas compris, M. Nandy fit la traduction.

« Brownie rit, dit Ashamanja Babu, mais seulement quand quelque chose l'amuse. »

Lorsque l'Indien lui eut traduit cette réponse, le visage de l'Américain s'empourpra légèrement. Il fit alors savoir qu'il ne dépenserait pas d'argent pour ce chien s'il n'avait pas la preuve qu'il était capable de rire. Il refusait de s'encombrer d'un animal qui par la suite ne lui causerait que de l'embarras. Il ajouta qu'il avait chez lui des objets précieux de Chine et du Pérou, qu'il possédait un perroquet qui ne parlait que latin. « Je suis venu avec mon chéquier pour acheter un chien rieur, mais seulement si je le vois rire. »

Pour confirmer ses dires, l'Américain tira de sa poche un chéquier bleu. Ashamanja Babu regarda l'objet du coin de l'œil. Sur le dessus, il lut : CitiBank of New York.

« Vous seriez au large, intervint M. Nandy d'un ton alléchant. Si vous connaissez le moyen de faire rire ce chien, l'affaire est conclue. Ce gentleman est disposé à monter jusqu'à vingt mille dollars. Cela fait beaucoup de roupies. »

La Bible rapporte que Dieu créa l'univers en six jours. En faisant jouer son imagination, l'être humain peut faire la même chose en autant de secondes. Aux paroles de M. Nandy, Ashamanja Babu se vit au milieu d'un grand bureau climatisé, assis sur un fauteuil tournant, les pieds posés sur le bureau, avec, entrant par la fenêtre, l'odeur entêtante de l'*hasu-no-hana*. Mais un bruit soudain fit disparaître cette vision à la manière d'un ballon de baudruche touché par une épingle.

Brownie s'était mis à rire.

Ce rire ne ressemblait à rien de ce que son maître avait entendu jusqu'alors.

« Mais *il rit* ! »

Tout à cet extraordinaire spectacle, M. Moody s'était laissé tomber à genoux. Il ressortit son chéquier en même temps qu'un stylo Parker.

Brownie riait toujours. Incapable d'en saisir la raison, Ashamanja Babu ne savait que penser. Personne n'avait bégayé, ni trébuché, aucun parapluie ne s'était retourné, nul miroir n'avait été atteint par une pantoufle. Mais alors, pourquoi Brownie riait-il ?

« Vous avez de la chance, commenta M. Nandy. Il me semble qu'un pourcentage devrait me revenir, qu'est-ce que vous en pensez ? »

M. Moody s'était relevé pour se rasseoir sur le fauteuil. « Demandez-lui comment s'écrit son nom », dit-il.

Quoique M. Nandy eût répété la question en bengali, Ashamanja Babu ne répondait pas. Il venait d'avoir une illumination et s'en trouvait tout émerveillé. Au lieu d'épeler son nom, il dit : « S'il vous plaît, dites à ce gentleman que s'il savait seulement pourquoi ce chien rit, il n'aurait pas ouvert son chéquier.

— Qu'est-ce que vous me chantez là ? » fit sèchement M. Nandy. Il n'aimait pas du tout la tournure que prenaient les événements. Il savait que si l'affaire échouait, la colère de l'Américain retomberait sur lui.

Brownie avait enfin cessé de rire. Ashamanja Babu le prit sur ses genoux, lui essuya ses larmes et dit : « Mon chien rit parce que ce gentleman pense qu'on peut tout acheter avec de l'argent.

— Je vois, fit M. Nandy. Alors, c'est aussi un philosophe, à ce qu'il semble ?

— Oui, monsieur.

— Cela signifie que vous n'êtes pas vendeur ?

— Non, monsieur. »

Shyamol Nandy annonça simplement à M. Moody que le

propriétaire du chien n'avait aucune intention de le vendre. L'Américain rempocha son chéquier, s'épousseta les genoux et partit vers la porte. « Ce type doit être dérangé ! » dit-il en secouant la tête.

Lorsque le bruit de la voiture s'éteignit au loin, Ashamanja Babu regarda Brownie dans les yeux et dit : « C'est bien pour cela que tu riais, non ? »

Et Brownie acquiesça d'un petit rire.

Ratanbabu et cet homme-là

RATANBABU descendit du train avec un soupir de soulagement. L'endroit avait l'air plutôt accueillant. On voyait au-dessus de la petite gare les frondaisons d'un *shirish*. Un cerf-volant pris dans une branche faisait une tache rouge sur le feuillage vert. Les gens semblaient détendus et l'air sentait bon la terre. Bref, Ratanbabu trouvait le cadre des plus agréables.

Avec son petit fourre-tout et sa valise de cuir, il n'avait pas besoin de porteur. Il empoigna ses bagages et prit le chemin de la sortie.

Dehors, il n'eut aucune peine à trouver un vélo-pousse.

« Pour où, sir ? demanda l'adolescent en short à rayures.

— Tu connais l'hôtel New Mahamaya ? »

Le garçon opina. « Montez, sir. »

Voyager était presque une obsession chez Ratanbabu. Il quittait Calcutta chaque fois qu'il en avait la possibilité, non que cela arrivât souvent car il avait un emploi régulier. Depuis vingt-quatre ans, il travaillait au service d'études géologiques de la ville de Calcutta. Il ne pouvait vraiment s'en aller qu'une fois l'an, au moment des congés de *Puja**. Il n'emmenait jamais personne avec lui, et l'idée ne lui en était d'ailleurs jamais venue. Il y avait bien eu un temps où

---

* Célébration d'une divinité *(NdA)*.

73

il avait ressenti le besoin d'avoir un compagnon ; en fait, il en avait même parlé une fois à Keshabbabu, son voisin au bureau. C'était quelques jours avant le début des congés, à l'époque des préparatifs. « Tu n'as que ta peau, un peu comme moi, avait-il dit. Et si nous partions ensemble, ce coup-ci ? »

Keshabbabu avait posé son crayon sur son oreille, joint les paumes des mains. « Tu sais, je ne crois pas que toi et moi ayons les mêmes goûts, avait-il déclaré avec un sourire contraint. Tu vas dans des coins dont personne n'a jamais entendu parler, des endroits où il n'y a pas grand-chose à voir, où il n'y a ni hôtel ni restaurant dignes de ce nom. Non, très peu pour moi, j'aime autant aller voir mon beau-frère à Harinabhi. »

Avec le temps, Ratanbabu en était venu à considérer que personne ne voyait les choses du même œil que lui. Ses goûts et ses dégoûts étant bien différents de ceux du commun des mortels, mieux valait abandonner tout espoir de trouver un compagnon de voyage à sa convenance.

Il est vrai que c'était par certains côtés un personnage plutôt inhabituel. Il n'est que de considérer ses voyages. Keshabbabu avait vu juste : Ratanbabu n'était jamais tenté par les endroits où les gens vont habituellement passer leurs vacances. « D'accord, avait-il coutume de dire, à Puri il y a la mer et le temple de Jagannah ; de Darjeeling on aperçoit le Kanchanjungha, et il y a des collines et des forêts à Hazaribagh et les chutes de Hundroo à Ranchi. Et alors ? On en a si souvent entendu des descriptions qu'on a l'impression d'y être soi-même allé. »

Ce que recherchait Ratanbabu était une petite localité située à peu de distance d'une gare. Chaque année quand arrivaient les congés, il ouvrait l'indicateur des chemins de fer, choisissait au hasard une telle destination et faisait ses bagages. Nul ne lui demandait où il se rendait, et il ne le disait à personne. En fait, il lui était arrivé d'aller dans des endroits dont il n'avait même jamais entendu parler, pour chaque fois y découvrir des choses qui l'avaient enchanté, des choses qui eussent semblé dérisoires à d'autres que lui, comme ce vieux figuier de Rajabhatkhaoa qui s'enroulait autour d'un *kul* et d'un cocotier, ou les ruines de la fabrique

d'indigo de Maheshgunj, ou encore ce délicieux *dal barfi**
que l'on trouvait dans une confiserie de Moina...

Cette fois, Ratanbabu était arrivé dans une bourgade du
nom de Shini, à vingt-cinq kilomètres de Tatanagar. Shini
n'avait pas été choisie dans l'indicateur ; c'était un collègue,
Anukul Mitra, qui lui en avait parlé. Il lui avait également
recommandé l'hôtel New Mahamaya.

Cet établissement convenait à Ratanbabu. La chambre
n'était pas immense, mais c'était sans importance. Il y avait
une fenêtre au sud et une autre à l'est, d'où l'on avait une
vue agréable sur la campagne. Pancha, le serviteur, semblait
d'un naturel aimable. Ratanbabu avait coutume de prendre
un bain tiède deux fois par jour et d'un bout à l'autre de
l'année ; Pancha l'assura que cela ne poserait pas de
problème. La cuisine était passable, et cela était également
satisfaisant car il n'était pas difficile sur la nourriture. Il n'y
avait qu'une seule chose à laquelle il tenait : il lui fallait du
riz avec le curry de poisson, ainsi que du *chapati*, du *dal* et
des légumes. Il en avait informé Pancha dès son arrivée, et
celui-ci avait fait la commission à son patron.

Une autre habitude de Ratanbabu lorsqu'il arrivait dans
un nouvel endroit était d'aller faire une promenade au cours
de l'après-midi. Il y sacrifia lors de cette première journée
à Shini. Il termina la tasse de thé que lui avait servie Pancha,
et sortit. Il était environ quatre heures.

Après quelques minutes de marche, il se retrouva en
pleine campagne. Le terrain était inégal et parsemé de
sentiers qui s'entrecroisaient. Ratanbabu en choisit un au
hasard et découvrit au bout d'une demi-heure un lieu
charmant. C'était un étang bordé de lis d'eau autour duquel
vivaient une grande variété d'oiseaux. Il y avait des grues,
des bécasses, des martins-pêcheurs, des pies, plus d'autres
espèces qu'il ne put identifier.

Il aurait passé avec plaisir tous ses après-midi au bord de
cette pièce d'eau. Pourtant, le deuxième jour, il emprunta
un autre sentier dans l'espoir de découvrir quelque chose de
nouveau. Au bout d'un ou deux kilomètres, il dut s'arrêter,
le temps de laisser passer un troupeau de chèvres. Lorsque
le chemin fut libre, il marcha encore pendant cinq minutes
et aperçut un pont de bois. Quand il fut plus près, il vit

---

* Mets à base de lentilles *(NdA).*

qu'une voie de chemin de fer passait dessous. Vers l'est, on apercevait la gare de Shini. Dans l'autre direction, les rails s'étiraient aussi loin que portait le regard. Et si un train survenait tout à coup pour défiler sous le pont dans un bruit de tonnerre ? Ratanbabu frissonnait à cette idée.

Peut-être parce qu'il fixait les rails, il ne remarqua pas l'homme qui était venu se poster à côté de lui. Tournant enfin la tête, il eut un sursaut de surprise.

L'étranger était vêtu d'un *dhoti* et d'une chemise, et avait sur l'épaule une veste cachou. Il portait des lunettes à double foyer et des souliers de toile brune. Ratanbabu éprouva un sentiment étrange. Où avait-il déjà vu cet homme ? N'y avait-il pas chez lui quelque chose de familier ? De taille moyenne, le teint moyennement foncé, une expression pensive dans le regard... quel âge pouvait-il avoir ? Sûrement pas plus de cinquante ans.

L'étranger sourit et joignit les mains pour saluer. Ratanbabu allait lui retourner son salut quand il réalisa soudain d'où provenait ce sentiment bizarre. Pas étonnant que le visage de cet homme lui parût familier. Il l'avait vu maintes et maintes fois dans son propre miroir. C'était une ressemblance inquiétante. La même mâchoire carrée, percée d'une fossette, la même moustache soigneusement taillée, le lobe des oreilles avait une forme identique et les cheveux étaient coiffés de façon similaire. L'homme les avait peut-être un peu plus clairs, et plus longs sur la nuque ; ses sourcils semblaient un peu plus fournis.

Lorsqu'il parla, Ratanbabu eut un nouveau choc. Sushanto, un garçon du voisinage, l'avait un jour enregistré sur un magnétophone et lui avait ensuite fait écouter sa voix. Il n'y avait aucune différence entre cette voix-là et celle qu'il entendait à présent.

« Je m'appelle Manilal Majumdar. Je crois savoir que vous êtes descendu au New Mahamaya ? »

Ratantal — Manilal... Leurs noms aussi se ressemblaient. Ratanbabu parvint à dissiper sa stupéfaction et se présenta.

« Je ne pense pas que vous le sachiez, dit l'autre, mais j'ai déjà eu l'occasion de vous voir.

— Où cela ?

— N'étiez-vous pas à Dhulian l'année passée ? »

Ratanbabu ouvrit des yeux ronds. « Ne me dites pas que vous y étiez aussi !

— Eh si. Chaque *Puja*, je pars en voyage. Je suis tout seul. Pas vraiment d'amis. C'est agréable de se retrouver tout seul dans un nouvel endroit. C'est un de mes collègues qui m'a recommandé Shini. L'endroit est plaisant, vous ne trouvez pas ? »

Ratanbabu avala sa salive, puis acquiesça de la tête. Il éprouvait un étrange mélange fait d'incrédulité et de malaise.

« Avez-vous vu cet étang, là-bas de l'autre côté, où une foule d'oiseaux se rassemblent le soir ? » demanda Manilalbabu.

Ratanbabu répondit par l'affirmative.

« J'ai reconnu certains d'entre eux, reprit Manilalbabu, mais il y en a d'autres que je n'avais jamais vus au Bengale. Qu'est-ce que vous en pensez ? »

Ratanbabu s'était un peu ressaisi. « Moi de même ; il y a plusieurs espèces que je n'ai pas su identifier. »

Un bruit sourd se fit entendre. C'était un train. Loin vers l'est, Ratanbabu aperçut un point lumineux qui grossissait. Les deux hommes s'approchèrent de la rambarde. Le train arriva comme un bolide et passa sous eux en faisant vibrer le pont. Ils gagnèrent l'autre rambarde pour le regarder s'éloigner et disparaître au loin. Ratanbabu ressentait le même émoi que lorsqu'il était enfant. « Comme c'est étrange ! déclara Manilalbabu. Même à mon âge, regarder passer un train me cause toujours une certaine excitation. »

Sur le chemin de retour, Ratanbabu apprit que Manilalbabu était à Shini depuis trois jours. Il logeait à l'hôtel Kalika. Il habitait à Calcutta, où il travaillait dans une maison de commerce. On ne demande pas à quelqu'un combien il gagne, mais une irrésistible impulsion poussa Ratanbabu à poser la question au mépris de toute discrétion. La réponse qu'il obtint lui coupa le souffle. Comment une telle chose était-elle possible ? Ratanbabu et Manilalbabu touchaient exactement le même salaire mensuel de quatre cent trente-sept roupies, et avaient perçu la même prime de *Puja*.

Ratanbabu jugeait difficile à croire que cet homme eût d'une manière ou d'une autre préalablement tout appris sur son compte, et cherchât à lui jouer quelque insondable plaisanterie. Jusqu'à présent, personne ne s'était jamais

77

soucié de lui, et il s'était toujours tenu à l'écart des autres. En dehors du bureau, il ne parlait qu'à son serviteur et n'allait jamais en visite. S'il était possible à un tiers de se renseigner sur le montant de son salaire, des détails comme l'heure à laquelle il se couchait, ses goûts culinaires, les journaux qu'il lisait ou les pièces et les films qu'il avait vus dernièrement étaient en revanche connus de lui seul. Et pourtant, tout correspondait exactement à ce que racontait cet homme.

Il ne pouvait s'ouvrir de tout ceci à Manilalbabu. Il se bornait à l'écouter et à s'étonner de cette extraordinaire similitude. Il ne révélait pour sa part rien de ses propres habitudes.

Ils s'arrêtèrent devant l'hôtel New Mahamaya. « Comment mange-t-on ici ? demanda Manilalbabu.

— Ils font un bon curry de poisson, répondit Ratanbabu. Pour le reste, c'est tout juste convenable.

— La cuisine de mon hôtel est plutôt insipide, dit Manilalbabu. Il paraît qu'au restaurant Jagannath les *luchis* et le *chholar* sont excellents. Que diriez-vous d'aller y dîner ce soir ?

— Si vous voulez. On se retrouve vers huit heures ?

— Parfait. Je vous attends et nous y allons ensemble. »

Après le départ de Manilalbabu, Ratanbabu déambula quelque temps dans les rues. C'était la nuit, une nuit si claire que l'on voyait la Voie lactée s'étirer d'un bout à l'autre du ciel étoilé. Comme ce qui lui arrivait était étrange ! Toutes ces années, Ratanbabu avait regretté de ne pouvoir trouver quelqu'un avec qui partager ses goûts et devenir ami. Et voici qu'à Shini il rencontrait enfin un être dont on pouvait dire qu'il était sa réplique exacte. Peut-être y avait-il une légère différence physique, mais ils avaient sous tous les autres rapports une identité que l'on ne rencontrait que rarement, même entre jumeaux.

Cela signifiait-il qu'il avait enfin trouvé un ami ?

Ratanbabu n'avait pas de réponse toute prête à cette question. Peut-être la trouverait-il lorsqu'il connaîtrait mieux cet homme. Une chose était sûre, il n'avait plus le sentiment d'être isolé de ses semblables. Pendant toutes ces années, une autre personne, exactement pareille à lui, avait existé, et tout à fait par hasard leurs routes s'étaient croisées.

Au restaurant Jagannath, Ratanbabu observa que, tout comme lui, son vis-à-vis mangeait en savourant délicatement chaque mets ; comme lui, il ne buvait pas d'eau à table, et comme lui il mettait du jus de citron dans son *dal*. Ratanbabu terminait toujours son repas par du caillé, et Manilalbabu faisait de même.

Tout en mangeant, Ratanbabu avait la désagréable impression que les gens des autres tables les observaient. Était-ce parce qu'ils avaient remarqué leur ressemblance ? Cette identité sautait-elle aux yeux ?

Après le dîner, ils allèrent marcher sous le clair de lune. Ratanbabu avait une question qui lui brûlait la langue, il la posa enfin. « Avez-vous atteint la cinquantaine ? »

Manilalbabu eut un sourire. « C'est pour bientôt. J'aurai cinquante ans le 29 décembre. »

Ratanbabu eut comme un vertige. Ils étaient nés le même jour, le 29 décembre 1916.

Une demi-heure plus tard, comme ils allaient se séparer, Manilalbabu déclara : « Je suis ravi d'avoir fait votre connaissance. Je n'ai pas l'impression d'être très liant avec les gens, mais vous faites exception. Je suis sûr maintenant de passer d'excellentes vacances. »

Ratanbabu se couchait habituellement à dix heures. Il ouvrait un magazine et se laissait peu à peu glisser dans l'inconscience. Il posait son magazine, éteignait la lampe de chevet et au bout de quelques minutes se mettait à ronfler doucement. Ce soir-là, le sommeil ne venait pas. Il n'avait pas non plus envie de lire. Il prit une revue et bientôt la reposa.

Manilal Majumdar...

Il avait lu quelque part que parmi les milliards d'individus qui peuplaient la terre, il n'en était pas deux qui se ressemblassent trait pour trait. Pourtant, chacun avait le même nombre d'attributs — yeux, oreilles, nez, lèvres et caetera. Et même en supposant que deux personnes fussent de parfaits sosies, était-il possible qu'elles eussent les mêmes goûts, les mêmes sentiments, les mêmes attitudes, comme c'était présentement le cas ? Leur âge, leur profession, leur voix, leur démarche, et jusqu'à l'épaisseur de leurs verres de lunettes, tout chez eux était identique. On penserait une telle chose impossible, et pourtant, pendant quatre longues heures il avait eu devant les yeux la preuve du contraire.

Aux alentours de minuit, il se releva, se versa un peu d'eau et s'en aspergea le visage. Il ne pourrait dormir tant que durerait cet état de fébrilité. Il se passa une serviette sur la tête et se remit au lit. Au moins cet oreiller humide le rafraîchirait-il un moment.

Un grand silence était descendu sur le quartier. Une chouette passa au-dessus de la maison en poussant des cris perçants. Le clair de lune entrait par la fenêtre et ruisselait sur le lit. Les pensées de Ratanbabu s'apaisèrent. Ses yeux se fermèrent.

Il était presque huit heures lorsque Ratanbabu se réveilla le lendemain matin. Manilalbabu devait passer à neuf heures. On était mardi, jour du marché hebdomadaire, le *haat*, qui se tenait à un bon kilomètre de là. La veille, les deux hommes avaient presque simultanément exprimé le désir de visiter le *haat*, plus pour s'y promener que pour acheter quoi que ce soit.

Il était presque neuf heures quand Ratanbabu acheva son petit déjeuner. Il prit une pincée de *mouri* dans une soucoupe et sortit de l'hôtel pour voir Manilalbabu qui approchait.

« Je suis resté longtemps sans pouvoir trouver le sommeil, hier soir, déclara ce dernier. Je pensais à la façon dont nous nous ressemblons. Il était huit heures moins cinq quand j'ai ouvert les yeux ce matin. D'habitude, je me lève à six heures. »

Ratanbabu garda ses commentaires pour lui. Ils partirent en direction du *haat*. Cela les fit passer près d'une bande d'adolescents qui se tenaient sur le bord de la route. « Hé, voilà Pince-mi et Pince-moi ! » lança l'un d'eux. Ratanbabu feignit de n'avoir rien entendu et poursuivit son chemin. Il leur fallut une vingtaine de minutes pour atteindre le *haat*.

Il s'agissait d'un marché fort animé. Il y avait des marchands de fruits et de légumes, d'outils, de vêtements et même de bestiaux. Les deux hommes se frayaient un passage dans la cohue, jetant des regards à droite à gauche sur les étals.

Qui était-ce là-bas ? N'était-ce pas Pancha ? Pour quelque raison, Ratanbabu fit en sorte d'éviter le serviteur de l'hôtel. Cette remarque sur Pince-mi et Pince-moi lui avait fait comprendre qu'il valait mieux ne pas se montrer en compagnie de Manilalbabu.

Tandis qu'il progressait lentement au milieu de la foule, une pensée s'imposa tout à coup à lui. Il réalisa qu'il était bien mieux tel qu'il était, seul et sans amis. Il n'avait pas besoin d'amis. Et surtout pas d'amis comme ce Manilalbabu. Chaque fois qu'il bavardait avec lui, il avait l'impression de parler tout seul. C'était comme s'il connaissait les réponses avant même d'avoir posé les questions. Il n'y avait pas place pour la discussion, aucune possibilité d'incompréhension. Était-ce là la marque de l'amitié ? Deux de ses collègues, Kartik Ray et Mukunda Chakravarty, étaient amis intimes. Cela voulait-il pour autant dire qu'ils ne se disputaient jamais ? Cela leur arrivait souvent, bien sûr. Et cela ne les empêchait pas d'être amis, amis très proches.

La pensée lui revenait, toujours avec plus de force, qu'il eût mieux valu que Manilalbabu n'entrât jamais dans sa vie. Même s'il existait deux hommes identiques, leur rencontre ne pouvait être que néfaste. Ratanbabu tressaillit à l'idée qu'ils pourraient continuer de se voir à Calcutta.

Un marchand vendait des cannes de marche en bambou. Ratanbabu avait toujours désiré en avoir une, mais, voyant que Manilalbabu était déjà en train de marchander, il se ravisa. Manilalbabu acheta deux cannes et lui en donna une. « J'espère que vous voudrez bien accepter ceci en gage d'amitié. »

Sur le chemin du retour, Manilalbabu parla beaucoup de lui-même, de son enfance, de ses parents, de son école et de ses études. Ratanbabu avait l'impression que se déroulait le film de sa propre vie.

Le projet lui vint au cours de l'après-midi, alors que l'on se dirigeait vers le pont du chemin de fer. Il n'avait pas à parler beaucoup, aussi avait-il tout loisir de réfléchir. Depuis midi il songeait à se débarrasser de cet homme, mais n'arrivait pas à se décider sur la méthode. Il venait de tourner la tête vers les nuages qui s'amassaient à l'ouest, quand la marche à suivre lui apparut avec une éblouissante clarté... Ils se tenaient, lui et Manilalbabu, tout contre le garde-fou du pont. Le train de marchandises approchait. Lorsque la locomotive n'était plus qu'à une vingtaine de mètres, il rassemblait ses forces et, d'une forte poussée...

Sans s'en rendre compte, il avait fermé les yeux. Il les rouvrit et regarda furtivement son compagnon. Manilalbabu avait l'air tout à fait insouciant. Cependant, puisqu'ils avaient tant de choses en commun, peut-être réfléchissait-il lui aussi au moyen de se défaire de son ami ?

Mais sa physionomie ne trahissait rien de tel. En fait, il fredonnait un air, tiré de la musique d'un film hindi que Ratanbabu avait lui aussi coutume de fredonner de temps à autre.

Les nuages noirs venaient de masquer le soleil. Celui-ci de toute façon n'allait pas tarder à se coucher. Ratanbabu jeta un coup d'œil circulaire et vit qu'il n'y avait, grâce à Dieu, personne alentour. Dans le cas contraire, son plan n'aurait pu fonctionner.

Étrangement, bien qu'il fût tout entier tourné vers le meurtre, Ratanbabu n'arrivait pas à se considérer comme un meurtrier. Manilalbabu eût-il possédé des traits psychologiques distincts de lui, jamais il n'aurait envisagé de l'éliminer. Il estimait que le fait qu'ils vécussent tous deux à la même époque n'avait pas de sens. Qu'il continuât seul d'exister était amplement suffisant.

Ils arrivèrent au pont.

« Il a fait lourd aujourd'hui, observa Manilalbabu. Il va peut-être pleuvoir ce soir, et cela pourrait être le début d'un refroidissement du temps. »

Ratanbabu consulta sa montre. Six heures moins douze. Ce train avait la réputation d'être à l'heure. Il ne restait guère de temps. Il se força à bâiller afin d'atténuer la tension qui l'étreignait. « S'il doit pleuvoir, dit-il, ce ne sera pas avant quatre ou cinq heures.

— Voulez-vous une noix de bétel ? »

Manilalbabu avait sorti de sa poche une petite boîte ronde en fer-blanc. Ratanbabu avait également sur lui une semblable boîte, mais il n'en dit rien. Il préleva une noix et se la jeta dans la bouche.

C'est alors qu'ils entendirent le train.

Manilalbabu fit quelques pas en direction de la rambarde, regarda sa montre et dit : « Sept minutes d'avance. »

A cause de l'énorme nuage, il faisait plus sombre que d'ordinaire. Par contraste, le fanal de la locomotive paraissait plus brillant. Le train était encore loin, mais l'intensité de cette lumière croissait de seconde en seconde.

« Krrrri... krii... krrrri... »

Un cycliste arrivait sur le chemin. Seigneur Dieu ! Allait-il s'arrêter ?

Non. Les craintes de Ratanbabu étaient sans fondement. Le cycliste passa à belle allure à côté d'eux pour aller se fondre dans la nuit naissante.

Le train approchait à toute vitesse. Du fait de l'éclat aveuglant de son phare, il était impossible d'estimer sa distance. Dans quelques secondes, le pont se mettrait à vibrer.

Le vacarme était assourdissant.

Les mains appuyées sur la rambarde, Manilalbabu regardait la voie. Un éclair illumina le ciel. Rassemblant toutes ses forces, Ratanbabu posa la paume des mains sur le dos de Manilalbabu et poussa. L'autre bascula par-dessus le garde-fou et tomba vers la locomotive. A cet instant, le pont se mit à trembler.

Ratanbabu ne s'attarda pas pour regarder le train disparaître au loin. Tout comme le pont, il était saisi de tremblements. Zébrée d'éclairs sporadiques, la masse nuageuse avait maintenant envahi une grande partie du ciel.

Ratanbabu rajusta son vêtement et prit le chemin du retour.

Il dut parcourir les dernières centaines de mètres au pas de course dans le vain espoir d'éviter les premières gouttes de pluie. Il franchit hors d'haleine la porte de l'hôtel.

A peine entré, il eut le sentiment d'une anomalie.

Où venait-il d'arriver ? Les tables, les chaises, les tableaux sur les murs... cela ne ressemblait pas à l'entrée du New Mahamaya.

Son œil fut subitement accroché par une enseigne murale. Quelle stupide erreur ! Il venait d'entrer à l'hôtel Kalika. N'était-ce pas ici que logeait Manilalbabu ?

« On dirait que vous n'avez pas pu éviter la pluie », observa quelqu'un derrière lui.

Ratanbabu se retourna et vit un homme aux cheveux

bouclés avec un châle vert sur les épaules, probablement un client de l'hôtel, qui le regardait, une tasse de thé à la main. « Excusez, fit l'homme en voyant le visage de Ratanbabu. Pendant un instant, j'ai cru que vous étiez Manilalbabu. »

Cette erreur fit naître les premiers doutes dans l'esprit de Ratanbabu. Son crime avait-il été commis avec suffisamment de prudence ? De nombreuses personnes avaient dû les voir partir ensemble. Les avait-on cependant vraiment remarqués ? Ces gens-là se souviendraient-ils de ce qu'ils avaient vu ? Si tel était le cas, est-ce que les soupçons se porteraient sur lui ? Il avait la certitude que personne ne les avait vus après qu'ils eurent dépassé les dernières maisons. Et une fois arrivés au pont ? Ah si, le cycliste. Il avait dû les voir tous les deux. Mais il faisait déjà assez sombre. Il était passé très vite. Était-il possible qu'il se souvienne de leur visage ? Certainement pas.

Plus Ratanbabu y pensait, plus il se sentait rassuré. Il n'était pas douteux que l'on retrouverait le corps. Mais que l'on remonte jusqu'à lui, qu'il soit jugé, confondu et condamné à la potence, cela il ne pouvait tout simplement le croire.

Comme il pleuvait toujours, il resta le temps de prendre une tasse de thé. Puis, lorsque vers sept heures trente la pluie cessa, il gagna directement le New Mahamaya. Il trouvait presque cocasse la façon dont il s'était trompé d'hôtel.

Il dîna de bel appétit. Puis il se glissa au lit avec un magazine, lut un article sur les aborigènes d'Australie, éteignit la lampe et s'endormit l'âme légère. Il était de nouveau seul, seul et unique. Il n'avait pas d'amis et n'en avait nul besoin. Il continuerait de vivre sa vie comme il l'avait toujours fait. Que pouvait-il souhaiter de mieux ?

Il s'était remis à pleuvoir. Il y avait des éclairs et des roulements de tonnerre. Mais rien de tout cela n'importait. Ratanbabu ronflait déjà.

« Avez-vous acheté cette canne au *haat*, sir ? demanda Pancha lorsqu'il apporta le thé.

— Oui, fit Ratanbabu.

— Combien l'avez-vous payée ? »

Ratanbabu répondit puis, l'air de rien, demanda : « Es-tu allé faire un tour au *haat*, toi aussi ? »

Pancha eut un large sourire. « Oui, et je vous y ai vu. Vous ne m'avez pas vu ?

— Ma foi, non. »

Ce qui conclut l'épisode Pancha.

Après le petit déjeuner, Ratanbabu se rendit à l'hôtel Kalika. L'homme aux cheveux bouclés s'entretenait devant l'établissement avec un petit groupe de gens. Ratanbabu entendit plusieurs fois le nom de Manilalbabu et le mot « suicide ». Il s'approcha pour mieux entendre. Il eut même l'audace de poser une question.

« Qui donc s'est suicidé ? »

La réponse vint de l'homme aux cheveux bouclés. « Justement celui pour lequel je vous ai pris, hier soir.

— Et c'est un suicide ?

— Ça en a tout l'air. On a retrouvé son corps près de la voie ferrée, en dessous du pont. Il a dû se jeter de là-haut. Un type bizarre. Plutôt pas causant. On parlait souvent de lui.

— Et le corps ?...

— Entre les mains de la police. Il arrivait de Calcutta pour se changer d'air. Il ne connaissait personne ici. On n'en sait pas plus. »

Ratanbabu secoua la tête avec de petits claquements de langue attristés, et s'en fut.

Un suicide ! Donc personne n'avait songé à un meurtre. La chance était de son côté. Quoi de plus simple qu'un assassinat ? A se demander pourquoi les gens ne s'y adonnaient pas plus souvent.

Ratanbabu se sentait d'humeur allègre. Après ces deux longues journées, il allait enfin pouvoir flâner à nouveau seul. Cette seule pensée l'inondait de plaisir.

C'était probablement lorsqu'il avait poussé Manilalbabu par-dessus le garde-fou qu'un bouton de sa chemise s'était détaché. Il trouva un tailleur qui le lui remplaça. Puis il alla acheter un tube de dentifrice Neem.

A peine sorti du magasin, il entendit le son du *kurtan*. Cela venait d'une maison. Il écouta un moment la chanson, puis partit vers la sortie de la petite ville. Il suivit un nouveau sentier sur un ou deux kilomètres, regagna l'hôtel aux alentours d'onze heures, prit son bain, déjeuna et fit sa sieste.

Il se réveilla comme d'habitude vers trois heures, et réalisa presque aussitôt qu'il lui fallait retourner au pont le soir même. Pour d'évidentes raisons, il n'avait pu la veille goûter pleinement le spectacle du train. Le ciel était toujours nuageux, mais la pluie ne semblait pas menacer. Aujourd'hui, il serait en mesure de regarder le train depuis le moment où il apparaissait jusqu'à celui où il disparaissait à l'horizon.

Il prit le thé à cinq heures et descendit à la réception. Shambhubabu, le directeur, était à son bureau devant l'entrée. « Connaissiez-vous l'homme qui est mort hier ? » demanda-t-il.

Ratanbabu le regarda en feignant la surprise. « Pourquoi me demandez-vous cela ?

— Eh bien, c'est juste que Pancha m'a dit qu'il vous avait vus ensemble au *haat*. »

Ratanbabu eut un sourire. « Je ne me suis guère fait de connaissances depuis que je suis ici, dit-il avec calme. J'ai en effet parlé à deux ou trois personnes au *haat*, mais le fait est que je ne sais même pas qui a été tué.

— Je vois », fit Shambhubabu en riant. Il était d'une nature joviale, et toujours prêt à rire. « Lui aussi, il était venu se changer d'air. Il était descendu au Kalika.

— Ah bon. »

Ratanbabu sortit. Il y avait trois kilomètres jusqu'au pont. S'il ne se hâtait pas, il était possible qu'il manquât le train.

Dans la rue, nul ne lui lança de regards suspicieux. Les adolescents de la veille n'étaient pas à leur place habituelle. Cette réflexion à propos de Pince-mi et Pince-moi avait eu le don de l'agacer. Il se demanda où avaient bien pu passer ces vauriens. Des bruits de tambour retentissaient quelque part, non loin de là. On fêtait un *Puja* dans les environs. C'était là qu'ils devaient se trouver. Parfait.

Aujourd'hui, il était seul au milieu de la campagne. Avant sa rencontre avec Manilalbabu, il était heureux de son sort ; aujourd'hui, il était plus détendu et serein que jamais.

Il arriva au pied du *babla*, l'arbre qui lui servait de repère. Le pont n'en était qu'à quelques minutes de marche. Le ciel était toujours couvert, mais sans les nuées noires de la veille.

C'étaient des nuages gris qu'aucune brise ne poussait. L'ensemble du ciel était couleur de cendres et immobile.

Le cœur de Ratanbabu sauta de joie à la vue du pont. Il allongea le pas. Qui sait, peut-être le train allait-il surgir encore plus tôt que la veille. Une compagnie de grues passa au-dessus de lui. Des grues migratrices ? Il n'aurait su le dire.

Arrivé sur le pont, il prit conscience de la tranquillité de cette soirée. En tendant l'oreille il pouvait entendre venant du bourg le bruit des tambours. Hormis cela, tout n'était que silence.

Il alla près de la rambarde. Il pouvait voir le signal et, au-delà, la gare. Tiens, qu'est-ce que c'était que cela ? Au pied du garde-fou, dans une fissure du bois était logé un objet luisant. Il se baissa pour le dégager. Une petite boîte ronde, en fer-blanc, qui contenait des noix de bétel. Il eut un sourire et la jeta par-dessus la rambarde. Elle atterrit avec un bruit métallique. Qui pouvait dire combien de temps elle resterait là ?

Quelle était cette lumière ?

Ah, le train. Nul bruit encore ; rien que ce point lumineux qui se déplaçait. Debout, immobile, Ratanbabu regardait le phare avec fascination. Un courant d'air soudain fit tomber le châle de son épaule. Il le rajusta.

Il entendait le bruit maintenant. On aurait dit le grondement sourd d'une tempête qui approche.

Il eut tout à coup l'impression que quelqu'un était venu se poster dans son dos. Bien qu'il eût quelque peine à s'arracher à la contemplation du train, il jeta un rapide coup d'œil derrière lui. Pas une âme alentour. Comme il ne faisait pas aussi sombre que la veille, la visibilité était bien meilleure. Non, en dehors de lui et de ce train qui approchait, il n'y avait personne à des kilomètres à la ronde.

Le convoi ne se trouvait plus qu'à une centaine de mètres. Ratanbabu s'accota au garde-fou. S'il s'était agi d'un train d'autrefois, avec une locomotive à vapeur, il n'aurait pu se tenir aussi près du bord car il aurait eu de la fumée plein les yeux. Mais il s'agissait d'une motrice diesel. Il n'y avait qu'un grondement profond de terre qui tremble, et l'éclat aveuglant du phare.

Voici que le train allait s'engouffrer sous le pont.

Ratanbabu posa les coudes sur la rambarde et se pencha en avant pour mieux voir.

A cet instant, une paire de mains lui appliqua une violente poussée dans le dos. Il bascula par-dessus le garde-fou.

Comme toujours, le pont frémissait. Le train défilait sous lui, filant vers l'ouest où le ciel commençait de se violacer.

Ratanbabu n'est plus sur le pont mais, comme en témoignage de son passage, un petit objet luisant est coincé dans l'interstice entre deux planches.

C'est une boîte d'aluminium qui contient des noix de bétel.

La nuit de l'indigo

JE M'APPELLE Aniruddha Bose. J'ai vingt-neuf ans et je suis célibataire. Depuis huit ans, je travaille dans une agence de publicité de Calcutta. Mon salaire m'assure un confort raisonnable. J'habite un appartement de Sardar Shankar Road, deux pièces au rez-de-chaussée, donnant au sud. Il y a deux ans, je me suis acheté une Ambassador que je conduis moi-même. J'écris un peu lorsque j'en ai le loisir. Trois de mes nouvelles ont été publiées dans des magazines, ce qui m'a valu les louanges de mes connaissances ; mais je sais bien que ma plume ne me permettrait pas à elle seule de gagner ma vie. Je n'ai rien écrit au cours des derniers mois. J'ai lu en revanche beaucoup de choses sur les plantations d'indigotiers du Bengale et du Bihar au siècle dernier. Je suis en quelque sorte devenu une autorité sur le sujet. Je sais de quelle manière les Anglais lancèrent cette culture, de quelle façon ils exploitèrent une paysannerie misérable qui finit par se révolter, et comment, avec l'invention en Allemagne de l'indigo synthétique, cette activité a complètement disparu du pays. Je connais tout cela sur le bout du doigt. C'est afin de narrer la terrible expérience qui m'a inspiré cet intérêt pour l'indigo, que je prends aujourd'hui la plume.

Parvenu à ce point, il me faut parler un peu de mon passé.

Mon père était un médecin renommé, à Monghyr, au Bihar. C'est dans cette ville que je suis né et que j'ai fréquenté l'école de la mission. J'ai un frère de cinq ans mon aîné. Il a fait sa médecine en Angleterre et est actuellement médecin hospitalier dans un faubourg de Londres nommé Golders Green. Il n'envisage pas de revenir en Inde.

Mon père est mort lorsque j'avais seize ans. Peu après, ma mère et moi quittâmes Monghyr pour aller vivre à Calcutta chez mon oncle maternel. J'y ai fréquenté le collège Saint-Xavier jusqu'au baccalauréat. C'est peu de temps après que j'ai été engagé dans mon agence de publicité. L'influence de mon oncle m'a été en cela d'un grand secours, mais je n'étais moi-même pas dépourvu des qualités qui font un bon postulant. J'avais été un étudiant de valeur, je parlais couramment l'anglais, et je me comportais bien au cours des entretiens.

Le fait que j'aie passé mes premières années à Monghyr explique un de mes traits de caractère. J'aspire de temps en temps à m'éloigner de l'existence mouvementée que l'on mène à Calcutta. Cela m'est arrivé plusieurs fois depuis que je possède une voiture. Lors de week-ends, j'ai fait des excursions à Diamond Harbour, à Port Canning, et jusqu'à Hassanabad, en suivant la Dum Dum Road. Chaque fois je suis parti seul parce que, pour être honnête, je n'ai pas vraiment d'ami proche à Calcutta. C'est pour cette raison que la lettre de Promode m'a tant fait plaisir. Promode a été mon camarade de classe à Monghyr. Après que je suis parti pour Calcutta, nous sommes restés en rapport pendant trois ou quatre ans. Ensuite, c'est peut-être moi qui ai cessé d'écrire. Et voilà que l'autre jour, en rentrant du travail, je trouve une lettre sur mon bureau. Il m'écrivait de Dumka. « J'y ai un poste dans les Eaux et Forêts. J'ai un logement à moi. Pourquoi ne prendrais-tu pas une semaine pour venir me voir ?… »

Il me restait des congés à prendre et, le lendemain, je suis donc allé trouver mon patron. C'est ainsi que le 27 avril — je me souviendrai de cette date jusqu'à la fin de mes jours — j'ai fait mes bagages et suis parti pour Dumka.

Promode ne m'avait pas suggéré d'y aller en voiture ; c'était une idée à moi. Dumka étant distant de trois cent vingt kilomètres, j'avais calculé que le trajet me prendrait au plus cinq ou six heures. Je décidai de manger de bonne heure et de me mettre en route vers les dix heures, de sorte à arriver avant la nuit.

C'est du moins ce que je projetais, mais il y eut tout de suite un contretemps. Je venais de terminer mon repas et allais me mettre un *paan* dans la bouche lorsque débarqua un vieil ami de mon père, l'oncle Mohit, personnage fort cérémonieux que je n'avais pas vu depuis une dizaine d'années. Il n'était pas question de l'expédier en vitesse ; je lui offris donc le thé et l'écoutai pendant plus d'une heure.

Je raccompagnai enfin l'oncle Mohit jusqu'à la porte et enfournai valise et literie à l'arrière de la voiture. C'est alors que je vis arriver mon voisin, Bhola Babu, remorquant Pintu, son fils âgé de quatre ans.

« Où est-ce que vous allez comme ça, tout seul ? » demanda-t-il.

Lorsque je le lui eus dit, il déclara d'un air inquiet : « C'est que ça fait un bout. Est-ce qu'il n'aurait pas mieux valu engager un chauffeur ? »

Je lui dis que je conduisais fort prudemment, que j'entretenais si soigneusement ma voiture qu'elle était encore comme neuve et « qu'il n'y avait donc pas lieu de s'inquiéter ».

Bhola Babu me souhaita bonne chance et entra dans l'immeuble. Avant de tourner la clef de contact, je jetai un coup d'œil à ma montre. Il était onze heures dix.

Quoique j'eusse évité Howrah et emprunté la route de Bally Bridge, il me fallut une heure et demie pour atteindre Chandernagor. Au cours de ces cinquante premiers kilomètres à travers de sinistres agglomérations, je n'éprouvai pas une seule seconde le plaisir et l'ivresse d'un voyage en voiture. Ensuite, je débouchai en pleine campagne, et cela eut un effet magique. Parlez-moi de ce ciel limpide, exempt de fumées d'usine, de cet air pur qui sent si bon la terre !

Vers midi et demi, comme j'approchais de Burdwan, je commençai d'éprouver les conséquences de mon déjeuner matinal. J'avais faim. Je me garai près d'une station-service et allai au restaurant où je fis un repas léger à base de toasts, d'omelette et de café. Puis je repris la route. Il me restait encore à parcourir plus de deux cents kilomètres.

Trente kilomètres après Burdwan, il y avait la petite ville

de Panagarh, où il fallait quitter la Grand Trunk Road et prendre la route de Ilambazar. Après cette localité, la route continuait jusqu'à Dumka, via Suri et Massanjore.

Le camp militaire de Panagarh était en vue, quand il y eut une détonation à l'arrière de la voiture. Je venais de crever un pneu.

Je m'arrêtai et descendis. J'avais une roue de secours et pouvais réparer sans peine. La pensée que les autres voitures allaient passer en me frôlant et que leurs occupants riraient de mes malheurs n'était pas faite pour me plaire. Je sortis néanmoins le cric du coffre et me mis au travail.

Lorsque j'en eus terminé, j'étais en nage. Ma montre indiquait deux heures et demie. Cependant, le temps était devenu lourd et orageux. La brise rafraîchissante, qui soufflait encore une heure plus tôt et courbait les bambous, était tombée. Tout était immobile. En remontant en voiture, je remarquai à l'ouest au-dessus des arbres une masse bleu-noir. Un nuage. Était-ce annonciateur de tempête ? Un coup de vent de nord-ouest ? Il n'était guère utile de spéculer. Il fallait rouler plus vite. Je bus un peu de thé à la thermos et démarrai.

La tempête fut sur moi avant Ilambazar. Jadis, assis dans ma chambre, j'aimais bien ces coups de nord-ouest, et je récitais même pour être dans le ton des poèmes de Tagore. Je n'avais pas idée alors que de telles tempêtes pouvaient glacer les sangs de l'automobiliste surpris en rase campagne. Le tonnerre m'a toujours mis mal à l'aise. Il paraît révéler un aspect mauvais de la nature, comme s'il agressait traîtreusement une humanité sans défense. Il me semblait que les éclairs étaient tous dirigés vers ma pauvre Ambassador, et que tôt ou tard il y en aurait un pour frapper au but.

C'est dans cet état d'esprit que je passai Suri. J'avais parcouru une bonne partie du chemin qui me séparait de Massanjore, quand retentit une nouvelle détonation, qui ne ressemblait en rien à un coup de tonnerre. Je compris qu'un autre de mes pneus avait décidé de se singulariser.

Je perdis espoir. Il pleuvait maintenant à verse. Ma montre indiquait cinq heures et demie. J'avais été obligé de rouler à vingt-cinq à l'heure sur les derniers trente kilomètres, sinon j'eusse déjà eu largement dépassé Massanjore. Où me trouvais-je ? On ne voyait rien devant à travers le pare-brise. Les essuie-glaces fonctionnaient, mais sans grande efficacité. Comme l'on était en avril, le soleil devait être encore assez haut, et pourtant on se serait cru en fin de soirée.

J'entrouvris la portière droite et regardai dehors. Je ne vis rien qui pût suggérer la présence d'une agglomération. Je distinguai cependant un ou deux bâtiments entre les arbres. Il n'était pas question de quitter la voiture pour partir en exploration, mais une chose paraissait claire : aussi loin que portait le regard, il n'y avait sur le bord de la route ni garage ni station-service.

Et je n'avais plus de roue de secours.

Au bout d'un quart d'heure d'attente, je réalisai avec étonnement qu'aucun véhicule n'était encore passé dans un sens ou dans l'autre. Étais-je sur la bonne route ? Je ne m'étais pas trompé dans Suri, mais peut-être avais-je ensuite pris une mauvaise direction ? Ce n'était pas impossible sous cette pluie aveuglante.

Quand bien même je me fusse fourvoyé, je n'étais pas égaré au milieu de la jungle d'Afrique ou d'Amérique du Sud. Nul doute que je me trouvais encore dans le district de Birbhum, à moins de quatre-vingts kilomètres de Santiniketan. Dès que cesserait la pluie, mes ennuis seraient terminés. Peut-être même trouverais-je un garage à un kilomètre ou deux.

Je sortis mon paquet de *wills* et allumai une cigarette. Le conseil de Bhola Babu me revint à l'esprit. Il avait dû vivre le même genre d'expérience pénible, sinon où serait-il allé chercher conseil aussi avisé ? Dans l'avenir...

« Tuuut ! Tuuut ! Tuuut ! »

Me retournant, je vis qu'un camion était arrêté derrière moi. Mais pourquoi actionnait-il son klaxon ? Est-ce que par hasard je stationnais en plein milieu de la chaussée ?

La pluie avait un peu diminué. Je sortis et vis qu'en effet le camion ne pouvait passer. Lorsque le pneu avait éclaté, la voiture s'était mise légèrement en travers, bloquant ainsi une bonne partie de la route.

« Rangez votre voiture, sir. »

Le routier sikh descendit de son camion.

« Qu'est-ce qui vous arrive ? demanda-t-il. Une crevaison ? »

Je haussai les épaules pour lui donner une idée de mon impuissance. « Si vous pouviez me donner un coup de main, dis-je, nous pourrions la pousser sur le côté. »

Le passager du camion descendit à son tour. A trois, nous poussâmes la voiture sur le bas-côté. Puis j'appris que cette route n'était pas celle de Dumka. J'avais effectivement pris la mauvaise direction. Il aurait fallu que je revienne de cinq kilomètres en arrière pour reprendre la bonne route. J'appris également qu'il n'y avait pas de garage dans les environs.

Le camion repartit. Tandis que son bruit décroissait au loin, la réalité s'imposa à moi, et ce fut comme si l'on m'assenait un coup de massue.

Je me trouvais dans une impasse.

Je n'avais aucune possibilité d'atteindre Dumka dans la soirée, et j'ignorais où et comment j'allais passer la nuit.

Les flaques du bord de la route s'animaient du chœur des grenouilles. La pluie n'était plus qu'une légère bruine.

Je remontai en voiture. J'allais allumer ma deuxième cigarette lorsque je remarquai une lumière à travers la vitre de mon côté. Je rouvris la porte. Entre les branches d'un arbre se découpait un rectangle de lumière orange. Une fenêtre. De même qu'il n'y a pas de fumée sans feu, il n'est pas de lampe à pétrole allumée sans présence humaine. Il y avait là une maison, et qui était occupée.

Je pris ma lampe-torche et sortis. Cette fenêtre n'était guère éloignée. Je décidai d'aller voir ce qu'il en était. Partant de la route, un sentier semblait se diriger vers la maison.

Je verrouillai la portière et me mis en route en m'efforçant d'éviter les flaques d'eau. A un détour du chemin, passé un grand tamarinier, je découvris la maison dans son ensemble. Enfin, à peine une maison. C'était un petit bungalow avec un toit de tôle ondulée. Par la porte ouverte, je distinguais une lampe tempête et le pied d'un lit.

« Est-ce qu'il y a quelqu'un ? » appelai-je.

Un homme entre deux âges, trapu, avec une épaisse moustache, sortit sur le pas de la porte, clignant les yeux sous l'éclat de ma lampe. J'écartai le faisceau de son visage.

« D'où est-ce que vous arrivez, sir ? » demanda-t-il.

. Je lui décrivis en quelques mots ma situation. « Auriez-vous un endroit où je puisse passer la nuit ? demandai-je. Bien sûr, je vous dédommagerai.

— Dans le *dak bungalow**, vous voulez dire ? »

Le dak bungalow ? Je n'avais pas vu le moindre dak bungalow.

Je compris immédiatement mon erreur. Du fait de cette lanterne, j'avais omis de regarder alentour. Braquant la torche sur la gauche, je vis un grand bungalow de plain-pied. « C'est de cela que vous voulez parler ?

— Oui, sir. Mais il n'y a pas de literie. Et je ne sers pas de repas.

— J'ai ma literie avec moi. Il y a un lit, au moins ?

— Oui, sir. Un *charpoy*.

— Je vois que votre four est allumé... vous étiez sans doute en train de préparer votre dîner ? »

L'homme se mit à sourire et me demanda si je voulais goûter aux *chapatis* grossiers qu'il avait préparés et à l'*urut-ka-dal* cuisiné par sa femme. Je répondis que ce serait avec plaisir. J'aimais toutes les variétés de *chapatis*, et l'*urut* était le genre de *dal* que je préférais.

J'ignore ce qu'il avait été du temps de sa gloire, mais cette cahute ne correspondait guère à l'idée que l'on se fait d'un dak bungalow. La chambre, datant de l'époque du Raj, était cependant spacieuse et haute de plafond. Elle était meublée d'un *charpoy*, d'une table rangée contre le mur, et d'un fauteuil dont l'un des accoudoirs était cassé.

Le *chowkidar*, ou gardien, m'avait allumé une lanterne. Il vint la poser sur la table. « Comment vous appelez-vous ? demandai-je.

— Sukhanram, sir.

— Ce bungalow a-t-il déjà été habité, ou suis-je le premier ?

— Oh non, sir, il y en a eu d'autres. L'hiver dernier, un gentleman y a passé deux nuits.

— J'espère qu'il n'y a pas de fantômes, dis-je en manière de plaisanterie.

— Jamais de la vie ! Personne ne s'est jamais plaint de fantômes. »

J'avoue que je trouvai ces paroles rassurantes. Les vieux dak

---

* Maison destinée aux voyageurs *(NdA)*.

bungalows ont la réputation d'être hantés. « A quand remonte sa construction ? » demandai-je.

Sukhan déroulait mon matelas. « C'était autrefois la demeure d'un sahib.

— Un sahib ?

— Oui, un planteur d'indigotiers. Il y avait une fabrique d'indigo pas loin d'ici. Il ne reste plus que la cheminée. »

Je savais qu'on avait jadis cultivé l'indigotier dans la région. A Monghyr, lorsque j'étais enfant, il y avait de telles ruines.

Il était dix heures et demie lorsque je me couchai après avoir dîné de *chapatis* et d'*urut-ka-dal*. De Calcutta, j'avais télégraphié à Promode que j'arriverais dans l'après-midi. Il devait évidemment se demander ce qu'il m'était arrivé. Mais ce genre de considération était pour l'instant inutile. Je pouvais me féliciter d'avoir sans trop de problèmes trouvé un toit pour la nuit. Dans l'avenir, je suivrais le conseil de Bhola Babu. Je venais d'essuyer une cuisante leçon, de celles qui ne s'oublient pas facilement.

Je posai la lanterne dans le cabinet de toilette. La lueur qui filtrait par l'entrebâillement de la porte me suffisait. Je ne peux dormir s'il y a de la lumière dans ma chambre, et j'avais surtout besoin de sommeil. Je m'inquiétais pour ma voiture abandonnée sur le bord de la route, mais elle y courait certainement moins de risques qu'en pleine ville.

Le bruit de la pluie s'était tu. L'air retentissait maintenant du coassement des grenouilles et du grésillement aigu des criquets. Vue de ce hameau isolé, de cet antique bungalow, la ville me semblait appartenir à une autre planète. L'indigo... Je repensai à la pièce de Dinabandhu Mitra, *The Mirror of Indigo*. Lorsque j'étais étudiant, j'en avais vu une représentation dans un théâtre de Cornwallis Street.

J'ignore depuis combien de temps je dormais lorsqu'un bruit me réveilla. C'était une sorte de grattement provenant de la porte d'entrée. J'avais eu soin de pousser le verrou. Il devait s'agir d'un chien ou d'un chacal. Au bout d'une minute, le bruit cessa.

Je refermai les yeux dans l'espoir de me rendormir. Bientôt, les aboiements d'un chien m'obligèrent à y renoncer. A l'entendre, je compris qu'il ne s'agissait pas d'un vulgaire chien errant, mais d'une bête de race. Je

connaissais bien ce type d'aboiement. A Monghyr,
M. Martin, qui habitait à deux maisons de chez nous,
possédait un braque qui aboyait exactement de cette façon.
Qui pouvait bien posséder par ici une telle bête ? Je songeai
un moment à aller ouvrir pour en savoir plus, car les
aboiements étaient assez proches. Mais je me ravisai. A quoi
bon ? Mieux valait essayer de dormir. Quelle heure pouvait-il
être ?

Un vague clair de lune entrait par la fenêtre. Je levai la
main gauche pour consulter ma montre. J'eus un sursaut.
Ma montre avait disparu.

Pourtant, comme elle était automatique, je la gardais
toujours pour dormir. Où avait-elle bien pu passer ? Et par
quel mystère ? Était-ce un pays de voleurs ? En ce cas,
qu'allait-il advenir de ma voiture ?

Je tâtonnai les abords de mon oreiller à la recherche de
la lampe-torche et m'aperçus qu'elle avait elle aussi disparu.

Je me levai d'un bond et m'accroupis pour regarder sous
le lit. Ma valise s'était également envolée.

La tête commençait de me tourner. Il fallait faire quelque
chose. « *Chowkidar !* » appelai-je.

Pas de réponse.

J'allai à la porte : elle était toujours verrouillée. La fenêtre
comportait des barreaux. Comment mon voleur avait-il pu
entrer ?

Comme j'allais tirer le verrou, je vis ma main et en eus
un coup au cœur.

Avait-elle frotté contre la chaux du mur ? S'agissait-il de
je ne sais quelle poudre blanche ? Pourquoi était-elle aussi
pâle ?

Je m'étais mis au lit en veste de pyjama. Pourquoi avais-
je sur le dos cette chemise de nuit en soie ?

Le sang battait à mes tempes. Je sortis sur la véranda.

« *Chowkidar !* »

J'avais prononcé ce mot avec un indubitable accent
anglais. Et où était le *chowkidar*, et où était passée sa petite
maison ? Une grande prairie s'ouvrait maintenant devant le
bungalow. Au loin, j'aperçus une bâtisse pourvue d'une
haute cheminée. Les alentours étaient inhabituellement
silencieux.

De plus, ils avaient changé.

97

Et moi aussi, j'avais changé.

Je retournai à l'intérieur couvert de transpiration. Mes yeux s'étaient habitués à l'obscurité. Je pouvais maintenant distinguer certains détails. Le lit était bien là, mais une moustiquaire le recouvrait. L'oreiller était différent du mien ; il avait une bordure de dentelle, le mien n'en avait pas. La table et la chaise étaient à leur place, mais n'avaient plus leur air ancien. Le bois verni luisait, même sous cet éclairage parcimonieux. Sur la table reposait une lampe à huile pourvue d'un abat-jour ouvragé.

D'autres objets m'apparaissaient peu à peu : dans le coin, deux cantines métalliques ; au mur, une patère à laquelle étaient accrochés un manteau, un couvre-chef d'un genre inhabituel, et un stick de chasse. En dessous, contre le mur, était posée une paire de bottes en caoutchouc.

Je me désintéressai des objets pour considérer ma propre personne. Je n'avais jusqu'à présent remarqué que la chemise de soie ; je vis que je portais un pantalon serré et des bas. Je n'étais pas chaussé, mais remarquai une paire de bottes noires posée près du lit.

Je me passai la main droite sur le visage et réalisai que tout comme le teint de ma peau mes traits avaient changé. Je ne possédais pas un nez aussi fin, ni des lèvres aussi minces, ni un menton aussi étroit. Je me passai la main dans les cheveux et les trouvai ondulés, avec des favoris qui me descendaient en dessous des oreilles.

En même temps que de la surprise et de l'angoisse, je ressentis le furieux désir de voir à quoi je ressemblais.

Je partis vers le cabinet de toilette, poussai la porte et entrai.

J'avais préalablement remarqué que ce réduit ne contenait qu'un seau. J'y trouvai maintenant une baignoire, ainsi qu'une cruche posée sur un tabouret. Ce que je cherchais se trouvait droit devant moi : un miroir, fixé sur la table de toilette. Bien que je fisse face à ce miroir, la personne qui s'y réfléchissait n'était pas moi. Par je ne sais quel tour diabolique, je m'étais changé en Anglais du XIXᵉ siècle ; j'avais le visage blême, les cheveux blonds, et des yeux clairs où se lisait un singulier mélange de dureté et de souffrance. Quel pouvait être l'âge de cet Anglais ? Pas plus de la trentaine, mais il semblait que la maladie ou le labeur, ou bien les deux à la fois, l'avaient fait prématurément vieillir.

Je me penchai en avant pour mieux voir « mon » visage. Un long soupir monta du tréfonds de mon être.

Le timbre de voix n'était pas le mien. Ce soupir, lui aussi, exprimait non mon sentiment, mais celui de l'Anglais.

Ce qui suivit me démontra que tous mes membres opéraient de leur propre volition. Il était cependant surprenant que moi, Aniruddha Bose, je fusse parfaitement conscient du changement d'identité. J'ignorais pourtant si cet état de choses allait être temporaire ou au contraire permanent, ou s'il existait quelque moyen de recouvrer mon identité perdue.

Je revins dans la chambre.

J'avisai sur la table, posé sous la lampe, un cahier relié de cuir. Il était ouvert à une page vierge. Il y avait à côté un encrier dans lequel trempait une plume.

Je m'approchai. Par le jeu de quelque invisible force, je m'assis à la table et saisis la plume. Ma main droite se porta ensuite vers le haut de la page de gauche du cahier. Le crissement de la plume emplit le silence de la chambre. Voici ce que j'écrivis :

27 avril 1868

Ces satanés moustiques vrombissent toujours à mes oreilles. C'est donc ainsi que le rejeton d'un puissant empire devait finir... par la piqûre d'un insecte minuscule. Que penser de cet étrange arrêt du Seigneur ? Éric m'a faussé compagnie. Percy et Tony ont fait de même peu de temps avant. Étais-je plus avide de richesses qu'eux ? En dépit des crises répétées de malaria, je n'ai pu résister à l'appât de l'indigo. Non, il n'y avait pas que cela. A quoi bon mentir dans son journal intime ? Mes compatriotes savent à quoi s'en tenir sur ma personne. Je n'ai pas mené au pays une existence irréprochable, et ils ne l'auront certainement pas oublié. C'est pourquoi je n'ai pas osé rentrer en Angleterre. Je sais que je suis condamné à demeurer sur cette terre étrangère, que je rejoindrai dans la tombe Mary, mon épouse, et Toby, mon fils bien-aimé. Je me suis montré si dur avec les indigènes qu'il n'en sera pas un pour verser une

larme sur mon sort. Peut-être Mirjan me regrettera-t-il...
Mirjan, mon fidèle porteur.

Et Rex ? Mon unique inquiétude porte sur mon fidèle
Rex. A ma mort, ces gens ne t'épargneront pas. Ils te
lapideront ou te bâtonneront à mort. Si seulement je pouvais
faire quelque chose pour toi !

Je ne pus écrire un mot de plus. Mes mains tremblaient.
Pas les miennes, celles de l'homme qui écrivait.

Je reposai la plume.

Ma main droite quitta le plateau de la table, descendit vers
la poignée d'un tiroir.

Dedans, il y avait une pelote à épingles, un presse-papiers
de bronze, une pipe et quelques papiers. Tout au fond, un
objet de métal luisait sombrement. Un pistolet à crosse
incrustée d'ivoire.

La main se saisit de ce pistolet. Les tremblements cessèrent.

Une troupe de chacals donna de la voix. Comme pour leur
répondre, le chien se remit à aboyer.

Je me levai et sortis sur la véranda. La prairie était baignée
de lune.

A dix pas de la véranda se tenait un grand lévrier. En me
voyant, il se mit à remuer la queue.

« Rex ! »

C'était la même voix grave, à l'accent anglais. L'appel alla
se répercuter au loin sur les murs de la fabrique et revint en
écho — Rex ! Rex !

Le chien vint vers moi.

Comme il passait de l'herbe au ciment, ma main droite
se leva et pointa le pistolet vers lui. Ayant remarqué l'arme,
Rex s'immobilisa. Il émit un grondement sourd.

Mon index pressa la détente.

Il y eut un éclair aveuglant, une détonation, de la fumée ;
une odeur de poudre emplit l'atmosphère.

Le corps sans vie, ensanglanté de Rex gisait en partie sur
la véranda, en partie sur l'herbe.

La détonation avait réveillé les corbeaux perchés sur des
arbres proches. Un concert de voix et d'appels retentit du
côté de la fabrique.

Je regagnai la chambre, poussai le verrou et allai m'asseoir
sur le lit. Les cris se rapprochaient.

Je posai la gueule du canon contre ma tempe droite.

C'est tout ce dont je me souviens.

Je fus tiré de mon sommeil par des coups répétés contre la porte.

« Je vous apporte votre thé, sir. »

Le jour entrait par la fenêtre. Par la force de l'habitude, mon regard erra jusqu'à mon poignet droit. Six heures treize. J'approchai la montre afin de lire la date, le 28 avril.

J'allai ouvrir à Sukhanram.

« Vous trouverez un garagiste à une demi-heure d'ici sur la route, sir. Il ouvre à sept heures.

— Parfait », dis-je avant de boire mon thé.

Voici ce que j'ai vécu le jour du centième anniversaire de la mort d'un Anglais, planteur d'indigo à Birbhum. Y aura-t-il quelqu'un pour me croire ?

Le duel

« SAVEZ-VOUS ce que signifie le mot ''duel'' ? demanda l'oncle Tarini.

— Mais oui, dit Napla. C'est quand deux personnes se battent. On dit qu'elles font un duel.

— Oui, oui, c'est ça, lançâmes-nous tous ensemble.

— Il y a de cela, reprit l'oncle Tarini. Mais cela appelle quand même quelques précisions. J'ai un jour étudié la question, par simple curiosité. C'est au XVIe siècle que, partant d'Italie, la pratique du duel s'est étendue au reste de l'Europe. L'épée faisait alors partie du costume des gentilshommes, et l'escrime était partie intégrante de leur éducation. Lorsqu'un homme essuyait une insulte, il provoquait immédiatement son offenseur en duel afin de laver son honneur. Que cet honneur fût ou non lavé dépendait alors du talent d'escrimeur de l'offensé. Cependant, même s'il en était dépourvu, le duel avait lieu, car avaler sans broncher une insulte était à l'époque considéré comme le comble de la couardise.

« Au XVIIIe siècle, le pistolet fut substitué à l'épée comme arme du duel. Cela amena tant d'issues fatales qu'il y eut un mouvement pour promulguer une loi interdisant le duel. Mais si un dirigeant le proscrivait, son successeur en assouplissait l'interdit et le duel relevait à nouveau la tête. »

L'oncle Tarini but une gorgée de thé, s'éclaircit la gorge et poursuivit :

« Un duel se menait selon un ensemble de règles strictes. Ainsi, les deux parties devaient avoir des armes identiques et des témoins chargés de veiller à l'observance de ces règles. Une distance de vingt pas devait séparer les adversaires. Les pistolets devaient faire feu à l'instant où le témoin de l'offensé commandait le tir. »

Comme toujours, nous étions impressionnés par le savoir de l'oncle Tarini, auquel son expérience ne le cédait en rien. Nous nous doutions que cet exposé verbeux, cette « information instructive », comme il appelait cela, était le prélude à un épisode supplémentaire de sa vie mouvementée. Il ne nous restait qu'à attendre le moment où il nous régalerait de ce qu'il appelait un fait. Une nouvelle histoire dont nous ne mettrions pas en doute la véracité, même si elle présentait tous les dehors de l'affabulation.

« Vous ignorez peut-être, reprit-il, qu'un duel fameux a eu lieu dans notre pays, à Calcutta même pour être précis, il y a de cela deux cents ans. »

Même Napla l'ignorait, aussi secouâmes-nous la tête avec ensemble.

« Un des deux combattants était une personne mondialement connue : le gouverneur général Warren Hastings. Son adversaire était Philip Francis, membre du conseil du vice-roi. Hastings avait écrit à Francis une lettre acerbe, qui fit que ce dernier le provoqua en duel. Vous voyez où se trouve la Bibliothèque nationale, dans Alipur ? Eh bien, le duel eut lieu non loin de là, dans un endroit dégagé. Comme Francis était l'offensé, un de ses amis fournit les pistolets et lui servit de témoin. Les deux armes firent feu en même temps, mais un seul des deux hommes fut abattu d'une balle : Philip Francis. Heureusement, la blessure n'était pas mortelle.

— Tout ça, c'est de l'Histoire avec un grand H, intervint Napla. C'est une histoire que nous voulons maintenant, oncle Tarini. Évidemment, vivant au XXᵉ siècle, vous n'avez pas pu prendre part à un duel.

— Non, fit l'oncle, mais j'y ai assisté.

— Vraiment ? »

L'oncle Tarini but une nouvelle gorgée de thé, alluma un *bidi* de qualité export et commença son récit.

A l'époque, je vivais à Lucknow. Je n'avais pas d'emploi régulier et n'en avais nul besoin car, deux ans plus tôt, j'avais gagné plusieurs millions de roupies à la loterie. Les intérêts qu'elles me rapportaient suffisaient à me faire vivre comme un coq en pâte. Cela se passait en 1951. La vie était moins chère à l'époque et un célibataire vivait convenablement avec sept ou huit cents roupies par mois. J'habitais un petit bungalow sur La Touche Road, écrivais de temps à autre une histoire pour *Pioneer*, et fréquentais régulièrement une salle des ventes de Hazratgunj. En ce temps-là, il était encore possible de trouver des objets datant de l'époque des grands nababs. On réalisait un profit substantiel en les achetant bon marché pour les revendre un bon prix aux touristes américains. J'étais à la fois marchand et collectionneur. Mon petit salon était encombré d'objets achetés dans les ventes.

Un dimanche matin, je vois à la salle des ventes, parmi les objets destinés à être mis aux enchères, un coffret d'acajou. Il faisait quarante-cinq centimètres de long sur vingt de large et huit de haut. Je n'arrivais pas à deviner ce qu'il pouvait bien contenir, et c'est ce qui a aiguisé ma curiosité. Il y avait d'autres articles, mais je n'avais d'yeux que pour ce coffret.

Au bout d'une heure, le commissaire-priseur a pris le coffret. Je me suis redressé sur ma chaise. Comme d'habitude, il s'est mis à vanter la marchandise. « Je vous présente maintenant une pièce unique et des plus intéressantes. Il s'agit, mesdames et messieurs, d'une paire de pistolets de duel. Ils sont comme neufs, bien qu'ils aient plus de cent ans d'âge. Deux armes sorties de la célèbre armurerie de Joseph Manton. Deux pièces inégalées ! »

Aussitôt, je fus séduit. Il me fallait ces pistolets. Mon imagination marchait bon train. Je voyais les deux adversaires face à face, les balles franchissant l'espace, et la sanglante issue.

Alors que j'étais tout à ma rêverie, les enchères avaient commencé. J'entends tout à coup quelqu'un lancer « Sept cent cinquante ! » Je surenchéris aussitôt avec une offre de mille roupies. L'enchère en reste là, et je me retrouve possesseur de ces pistolets.

De retour chez moi, j'ouvre le coffret pour m'apercevoir qu'ils sont encore plus beaux que je ne le croyais. Il s'agissait vraiment de deux splendides spécimens de l'art armurier. Chaque crosse était gravée au nom de Joseph Manton. D'après le peu que j'avais lu sur les armes, je savais qu'il s'agissait de l'un des armuriers les plus cotés de l'Angleterre du XVIIIᵉ siècle.

Je n'étais à Lucknow que depuis trois mois. Je savais que bon nombre de Bengalis y résidaient, mais n'en avais jusqu'alors rencontré aucun. Le soir, je restais généralement chez moi à écrire ou écouter de la musique sur mon gramophone. Je venais justement de me mettre à mon bureau pour écrire un papier sur le duel Hastings-Francis, lorsqu'on sonna. Un client, peut-être. Je jouissais déjà d'une modeste réputation de marchand d'antiquités.

J'ouvris la porte à un sahib. Il avait une bonne quarantaine d'années et l'air de quelqu'un qui a passé une longue période de sa vie en Inde. En fait, il pouvait très bien s'agir d'un Anglo-Indien.

« Bonsoir. »

Je lui rendis son salut. « Avez-vous une minute ? dit-il. Il y a une chose dont je voudrais vous entretenir.

— Entrez, je vous prie. »

Il s'exprimait sans la moindre trace d'accent indien. Il entra, et je pus le détailler à la lumière de la lampe. C'était un bel homme aux yeux bleus, aux cheveux brun-roux, avec une moustache fournie. Je le priai de m'excuser de ne pouvoir lui offrir de liqueur, mais peut-être voulait-il une tasse de café ou de thé ? Il refusa, disant qu'il venait juste de dîner. Puis il en vint à la raison de sa visite.

« Je vous ai vu à la salle des ventes de Hazratgunj ce matin.

— Vous y étiez aussi ?

— Oui, mais vous étiez sans doute trop préoccupé pour me remarquer.

— Le fait est que j'étais obnubilé par un article qui m'avait tapé dans l'œil.

— Et vous avez réussi à l'acquérir. Une paire de pistolets de duel sortis de chez Joseph Manton. Vous avez été très chanceux.

106

— Est-ce qu'ils appartenaient à quelqu'un de votre connaissance ?

— Oui, mais il est mort depuis longtemps. J'ignore à qui sont allés ces pistolets après sa mort. Cela vous ennuierait que j'y jette un œil ? Il se trouve que je connais une histoire intéressante se rapportant à ces armes... »

Je lui tendis le coffret d'acajou. Il l'ouvrit, prit un des pistolets et le leva à la lumière de la lampe. Il avait une expression lointaine. « Savez-vous que ces pistolets ont servi à un duel qui a eu lieu ici, dans cette ville ?

— Un duel à Lucknow !

— Eh oui. Cela remonte à un siècle. Un siècle dans trois jours, pour être exact. Le 16 octobre.

— Extraordinaire ! Mais qui étaient les adversaires ? »

Le sahib me rendit les pistolets et prit place sur le sofa. « Toute l'affaire m'a été décrite sous des couleurs si vives que j'ai l'impression d'y avoir assisté. Il y avait en ce temps-là à Lucknow une très belle femme. Elle portait le nom d'Annabella. C'était la fille du docteur Jeremiah Hudson. Non contente d'être belle, elle savait monter à cheval et se servir d'une arme aussi bien que l'homme le plus expérimenté. En plus de cela, il s'agissait d'une chanteuse et d'une danseuse de tout premier ordre. Un jeune portraitiste du nom de John Illingworth venait d'arriver à Lucknow avec l'espoir de recevoir une commande du nabab en personne. Ayant entendu parler de la beauté d'Annabella, il se présenta chez le docteur Hudson et offrit de lui faire son portrait. Sa démarche fut couronnée de succès. Cependant, le portrait n'était pas terminé que déjà il était éperdument amoureux de son modèle.

« Quelque temps plus tôt, Annabella s'était rendue à une réception au cours de laquelle elle avait fait la connaissance de Charles Bruce, capitaine dans le régiment du Bengale. Bruce s'était lui aussi enflammé pour elle dès le premier regard.

« Peu de temps après, il se présenta chez elle et la trouva sur la véranda en train de poser pour un inconnu. Illingworth était un jeune homme de belle figure, et il ne fallut pas longtemps à Bruce pour comprendre qu'il avait en ce peintre un rival.

« Il faut en outre vous dire que Bruce tenait les artistes en piètre estime. Il saisit l'occasion de faire devant Annabella une remarque qui exprimait clairement son mépris.

« Comme souvent les artistes, Illingworth était de tempérament pacifique. Cependant, cette insulte en présence de la femme qu'il aimait était quelque chose qu'il ne pouvait avaler. Il provoqua Bruce en duel. Celui-ci releva le défi. On convint sur-le-champ du jour et de l'heure.

« Sans doute savez-vous que chaque participant à un duel doit avoir un témoin ? »

Je hochai la tête.

« Le jour du duel approchait. Nul n'ignorait quelle en serait l'issue ; Charles Bruce était un excellent tireur, alors que John Illingworth maniait les armes avec infiniment moins d'adresse que ses pinceaux. »

Le sahib marqua une pause. « Alors, comment cela s'est-il terminé ? » demandai-je avec empressement.

L'autre eut un sourire et dit : « Cela, vous pouvez vous en rendre compte par vous-même.

— Comment cela ?

— Chaque année, le 16 du mois d'octobre, le duel se rejoue.

— Où ?

— A l'endroit même où il a eu lieu. A l'est du Dilkhusha, sous un tamarinier, au bord de la Gumti.

— Qu'entendez-vous lorsque vous dites qu'il se rejoue ?

— Rien d'autre que ce que je dis. En vous y rendant à six heures après-demain matin, vous assisteriez à toute l'affaire.

— Mais enfin, c'est impossible ! Vous voulez dire que...

— Je ne vous demande pas de me croire sur parole. Vous n'avez qu'à y aller par vous-même.

— Cela me plairait beaucoup, mais je crains de ne pas trouver l'endroit. Vous savez, je ne suis pas ici depuis très longtemps.

— Vous voyez où se trouve le Dilkhusha ?

— Oui.

— Le 16 octobre au matin, je vous attendrai à six heures moins le quart devant les grilles.

— Entendu. »

Le sahib me souhaita une bonne nuit et s'en fut. Je réalisai alors ne pas lui avoir demandé son nom. Mais il ne m'avait pas lui non plus demandé le mien. Enfin, peu importe le nom ; c'était ce qu'il avait dit qui importait. J'avais du mal à croire que Lucknow eût pu être le théâtre d'un tel épisode d'amour et de chevalerie, et que je fusse en possession de deux armes qui y avaient joué un rôle aussi crucial. Lequel des deux hommes avait finalement eu la main d'Annabella ? Lequel aimait-elle vraiment ?

Le matin du 16, le réveil sonna à cinq heures. Je bus une tasse de thé, nouai un cache-col et pris un *tonga* pour le Dilkhusha. Cet endroit avait jadis été la résidence d'été du nabab Sadat Ali. Elle était alors entourée d'un grand parc où vivaient des cerfs et dans lequel un léopard sorti des forêts voisines venait rôder de temps à autre. Aujourd'hui, il ne restait que les vestiges de la maison et un jardin, que l'on entretenait et qui était ouvert au public.

J'arrivai au lieu convenu à six heures moins vingt. Je demandai dans mon meilleur urdu au *tongawallah* d'attendre sur place, car je rentrerais chez moi une demi-heure plus tard.

Le sahib m'attendait à quelques pas de là sous un *arjun*. Il me dit n'être là que depuis cinq minutes. Nous nous mîmes en chemin.

Au bout de quelques minutes, nous arrivâmes en rase campagne. Le brouillard enveloppait toute chose. Peut-être y avait-il eu un tel brouillard le matin du duel.

Nous fîmes bientôt halte près d'un cottage en ruine qui avait dû appartenir à quelque sahib du siècle passé. Tournant le dos à cette ruine, nous faisions face à l'est. En dépit du brouillard, on distinguait nettement à quelque distance de là un énorme tamarinier. Sur la droite, à une vingtaine de mètres se dressait un gros buisson. Au-delà de l'arbre et du buisson, on devinait une rivière dont les eaux réfléchissaient la roseur de l'horizon oriental. Un calme impressionnant planait sur les environs.

« Vous entendez ? » fit tout à coup mon compagnon.

Oui, c'étaient des chevaux. Je reconnais que je n'en menais pas large. Mais j'étais en même temps captivé, conscient de vivre une expérience unique.

Je voyais maintenant les deux cavaliers. Arrivant de la

gauche, ils firent halte sous le tamarinier et mirent pied à terre.

« Est-ce que ce sont les deux adversaires ? soufflai-je à mon compagnon.

— L'un d'eux. Le plus grand est John Illingworth. L'autre est son ami et témoin, George Drummond. Voyez, il porte le coffret. »

La brume ne permettait pas de distinguer les visages, mais j'apercevais distinctement le coffret d'acajou. J'éprouvais un sentiment étrange à le voir ainsi entre les mains de cet homme, quand je savais ce même coffret cadenassé chez moi dans ma malle.

Deux autres cavaliers venaient d'arriver et mettaient pied à terre.

« Le blond est Bruce », murmura mon compagnon.

Drummond consulta sa montre de gousset et adressa un signe de tête aux deux adversaires. Les deux hommes se placèrent face à face. Ils exécutèrent un demi-tour à droite et s'éloignèrent l'un de l'autre de quatorze pas. Puis ils s'immobilisèrent, firent encore demi-tour et furent de nouveau en face l'un de l'autre.

Ils levèrent le bras et se mirent en joue. Le silence fut déchiré par le commandement de Drummond. « Feu ! »

Les coups de feu claquèrent, et j'eus la surprise de voir Bruce et Illingworth s'effondrer tous les deux.

Mais autre chose attira mon regard. C'était une silhouette féminine qui sortait en courant du buisson pour se fondre bientôt dans le brouillard.

« Vous avez vu ce qui est arrivé, dit alors mon compagnon. Les deux hommes ont péri.

— Certes, dis-je, mais qui était cette femme que j'ai vue s'enfuir ?

— C'était Annabella.

— Annabella ?

— Annabella savait que la balle d'Illingworth ne tuerait pas Bruce. Or elle entendait se défaire des deux hommes. Aussi se cacha-t-elle dans les buissons armée d'un pistolet qu'elle déchargea sur Bruce au moment où fut donné l'ordre de tirer. La balle d'Illingworth, elle, manqua largement sa cible.

— Mais pourquoi Annabella a-t-elle agi de la sorte ?

— Parce qu'elle n'était amoureuse ni de l'un ni de l'autre. Elle avait compris qu'Illingworth mourrait, laissant Bruce libre de la courtiser contre son gré. Elle ne voulait pas de cela car elle en aimait un autre, un homme avec qui elle se maria et auprès duquel elle trouva le bonheur. »

Je voyais cette scène vieille d'un siècle se fondre rapidement devant moi. Le brouillard se faisait de plus en plus dense. Je songeais à l'extraordinaire personnage d'Annabella, lorsqu'une voix de femme me fit sursauter.

« George ! George ! »

« Voici Annabella », déclara mon compagnon.

Je me retournai vers lui et me figeai sur place. Pourquoi était-il tout à coup vêtu à la mode du siècle dernier ?

« Je n'ai pas eu l'occasion de me présenter, dit-il d'une voix qui semblait me parvenir à travers un abîme. Je me nomme George Drummond. C'est moi, l'ami d'Illingworth, dont Annabella était amoureuse. Adieu… »

De retour chez moi, j'ouvris le coffret d'acajou pour en sortir les pistolets. Leur canon était encore chaud, et une odeur de poudre brûlée m'assaillit les narines.

Corvus

15 août

Les oiseaux m'ont toujours fasciné. Lorsque j'étais enfant,
nous avions un mynah auquel nous avions appris à prononcer
clairement plus de cent mots bengalis. Bien sûr, je savais
que, bien que certains oiseaux fussent capables de parler, ils
ne comprenaient pas le sens de ce qu'ils disaient. Un jour
pourtant, notre mynah fit une chose si extraordinaire que
je fus bien obligé de réviser mon opinion. Je venais de rentrer
de l'école et ma mère m'avait apporté une assiette de halva,
lorsque soudain l'oiseau se mit à hurler : « Tremblement de
terre ! Tremblement de terre ! » Nous ne ressentîmes rien ;
le lendemain cependant, les journaux rapportèrent qu'une
légère secousse avait été enregistrée par les sismographes.
    Depuis lors, j'ai toujours éprouvé de la curiosité pour
l'intelligence des oiseaux, même si mes travaux sur différents
projets scientifiques ne m'ont jamais permis de m'y
consacrer. Mon chat n'est pas sans responsabilité dans cette
affaire. Newton n'aime pas les oiseaux, et je ne voudrais pas
faire quelque chose qui lui déplaise. Ces derniers temps
toutefois, peut-être à cause de son âge, il s'est de plus en
plus désintéressé des oiseaux. C'est peut-être pour cette
raison que mon laboratoire est régulièrement visité par des
corneilles, des moineaux et des *shaliks*. Je leur donne à

manger chaque matin ; dans cette attente, ils commencent bien avant le lever du soleil à manifester devant ma fenêtre.

Chaque créature naît avec les aptitudes propres à son espèce. J'estime ces aptitudes plus développées et plus surprenantes chez les oiseaux que chez les autres animaux. Examinez le nid du tisserin et vous n'en croirez pas vos yeux. Si l'on demandait à un homme de construire un tel nid avec les mêmes matériaux, il s'arracherait les cheveux ou y consacrerait des mois d'incessants efforts.

Il existe en Australie une espèce appelée le *malle fowl*, qui bâtit son nid sur le sol. Sable, terre et matières végétales entrent dans la construction de ce monticule, qui est percé d'une entrée. L'oiseau pond ses œufs à l'intérieur, mais ne couve pas. Or des œufs ne peuvent éclore sans chaleur. Voici ce que l'on a observé : par quelque processus étonnant et encore non élucidé, le malle fowl maintient dans son nid une température de vingt-cinq degrés quel que soit le froid ou la chaleur régnant à l'extérieur.

Nul ne sait pourquoi le grèbe s'arrache des plumes pour les manger et en nourrir ses petits. Par un mécanisme inconnu, ce même grèbe peut, lorsqu'il nage, réduire sa densité spécifique à la vue d'un rapace, de sorte que seule sa tête dépasse de l'eau.

Nous connaissons tous l'étonnant sens de l'orientation des oiseaux migrateurs, le talent de chasseur des aigles et des faucons, l'odorat ultrasensible des vautours, ainsi que le chant délicieux de nombreuses espèces. C'est pour ces raisons que j'ai dernièrement consacré plus de temps à l'étude des oiseaux. Que peut-on enseigner à un oiseau au-delà de ses capacités innées ? Est-il possible de lui instiller une part du savoir et de l'intelligence humains ? Est-il possible de concevoir une machine visant à cela ?

20 septembre

Je crois aux vertus de la simplicité, aussi ma machine sera-t-elle simple. Elle comportera deux parties : une cage pour recevoir l'oiseau ; l'autre élément servira à transmettre l'intelligence à son cerveau par le truchement d'électrodes.

Pendant tout ce mois, j'ai soigneusement étudié les oiseaux qui viennent se nourrir dans mon laboratoire. En plus des éternels corneilles, moineaux et *shaliks*, il vient aussi des pigeons, des colombes, des perruches et des bulbuls. Mais l'un de ces oiseaux a tout particulièrement attiré mon attention. Il s'agit d'une corneille. Non pas un corbeau, mais une simple corneille. Je la reconnais facilement de ses congénères ; outre une petite marque blanche sous l'œil droit, sa conduite l'en distingue. Ainsi, jamais je n'avais vu une corneille prendre dans son bec un crayon et, à l'aide de celui-ci, faire des marques sur une table. Elle a fait hier une chose saisissante. J'étais en train de travailler à ma machine lorsque j'ai perçu un bruit de frottement léger. D'une boîte entrouverte, la corneille avait sorti une allumette et, la tenant dans son bec, elle s'employait à la frotter contre le grattoir.

Quand je l'ai chassée, elle est allée se percher sur le rebord de la fenêtre pour émettre une série de cris saccadés qui ne ressemblaient en rien à un croassement normal. En fait, j'ai bien cru pendant une minute qu'elle riait !

27 septembre

J'en ai terminé aujourd'hui avec l'assemblage de mon ornithon, ainsi que je l'ai baptisé. Mangeant des miettes de pain, sautillant de fenêtre en fenêtre, la corneille n'a pas quitté le laboratoire de toute la matinée. Dès que j'ai placé la cage sur la table et que j'en ai ouvert la porte, elle y est entrée, signe de ce qu'elle a grande hâte d'apprendre. Une certaine assimilation du langage étant nécessaire pour que l'oiseau suive mes instructions, j'ai commencé par des leçons simplifiées de bengali. Ces leçons étant préenregistrées, tout ce que j'ai à faire est de presser des boutons. Les différentes leçons se trouvent sur des pistes distinctes qui portent chacune un numéro. J'ai observé une chose étrange : dès que j'appuie sur un bouton, la corneille ferme les yeux et cesse tout mouvement. Pour un oiseau aussi actif que la corneille, cela est tout à fait inhabituel.

Un colloque d'ornithologie a lieu en novembre à Santiago du Chili. J'ai écrit à mon ami l'ornithologiste Rufus Grenfell, qui vit dans le Minnesota. Si mon compagnon à plumes s'avère capable d'acquérir une parcelle d'intelligence humaine, j'aimerais l'emmener à Santiago pour une conférence-exhibition.

4 octobre

Corvus est le nom générique latin de la corneille. Je me suis mis à appeler mon élève par ce nom. Au début, il répondait à mon appel en tournant la tête dans ma direction. Maintenant, il répond vocalement. J'ai entendu pour la première fois une corneille dire « ki » (quoi ?) au lieu de « croaaa ». Mais je ne crois pas que la parole sera jamais son point fort. Ce qu'elle acquerra d'intelligence se révélera dans ses actions.

Corvus apprend maintenant l'anglais ; si je dois faire une démonstration à l'étranger, l'anglais sera utile. Les leçons durent une heure, entre huit et neuf heures du matin. Le restant de la journée, elle demeure dans le laboratoire. Le soir, elle préfère regagner le manguier de l'angle nord-est de mon jardin.

Newton semble avoir accepté Corvus. Après ce qu'il s'est passé aujourd'hui, je ne serais pas surpris s'ils finissaient par fraterniser. C'était au cours de l'après-midi. Pour une fois Corvus n'était pas là. Assis dans un fauteuil, je prenais des notes dans mon cahier, et Newton était pelotonné à mes pieds, quand un battement d'ailes m'a fait tourner la tête vers la fenêtre. C'était Corvus. Elle avait dans le bec un lambeau de poisson cru qu'elle a laissé tomber devant Newton. Elle est ensuite allée se percher sur le rebord de la fenêtre pour regarder la scène avec de petits mouvements de la tête.

Grenfell a répondu à ma lettre. Il dit qu'il prend des dispositions pour me faire inviter au colloque d'ornithologie.

20 octobre

Progrès inattendus au cours des deux dernières semaines. Avec un crayon dans le bec, Corvus est maintenant capable d'écrire des mots anglais ainsi que des nombres. La feuille de papier est posée sur la table, et elle se tient dessus. Elle a écrit son nom en majuscules : C-O-R-V-U-S. Elle sait faire des additions et des soustractions simples, écrire le nom de la capitale de l'Angleterre, et même écrire mon nom. Il y a trois jours, je lui ai appris les mois, les jours de la semaine et la formulation des dates. Lorsque je lui ai demandé quel

jour nous étions aujourd'hui, elle a lisiblement écrit :
V-E-N-D-R-E-D-I.

Corvus a aussi démontré aujourd'hui qu'elle fait preuve d'intelligence dans sa façon de s'alimenter. J'avais posé devant elle sur une assiette des morceaux de pain grillé, et sur une autre de la gelée de goyave ; avant de prendre un morceau de pain, elle y déposait toujours un peu de gelée à l'aide de son bec.

22 octobre

J'ai eu clairement la preuve aujourd'hui que Corvus tient à rester à l'écart de ses congénères. Il y a eu une violente averse. Après un coup de tonnerre assourdissant, je suis allé à la fenêtre pour m'apercevoir que le *simul* du parc voisin avait été touché par la foudre. Dans l'après-midi, lorsque la pluie a cessé, j'ai entendu un formidable concert de croassements. Les corneilles du voisinage étaient rassemblées autour de l'arbre foudroyé. J'ai envoyé Prahlad, mon domestique, voir ce qu'il se passait. Il est revenu pour m'annoncer : « Sir, il y a une corneille morte au pied de l'arbre ; c'est la raison de tout ce tapage. » J'ai compris que la corneille avait dû être frappée par la foudre. Assez bizarrement, Corvus n'a pas pour autant quitté le laboratoire. Tenant un crayon dans son bec, elle s'absorbait à noter la liste des nombres premiers : 1,2,3,5,7,11,13...

7 novembre

Corvus peut maintenant être fièrement exhibée dans les cercles scientifiques. Il est possible d'apprendre aux oiseaux à faire de petites choses, mais un oiseau aussi intelligent et cultivé que Corvus est unique dans les annales de l'Histoire. L'ornithon a parfaitement rempli sa tâche. Corvus est maintenant capable de répondre à des questions auxquelles il est possible de répondre en quelques mots, ou à l'aide de chiffres, sur des sujets aussi divers que les mathématiques, l'histoire, la géographie et les sciences naturelles. De plus, Corvus a spontanément acquis ce qu'il faut bien nommer une part d'intelligence humaine, ce qui constitue en soi une première. Je fournirai un exemple. J'étais en train de boucler ma valise ce matin, en prévision de mon voyage à Santiago. A l'instant où je la refermais, j'ai vu Corvus m'apporter la clef dans son bec.

Reçu hier une nouvelle lettre de Grenfell. Il se trouve déjà à Santiago. Les organisateurs du colloque comptent sur ma venue. Jusqu'à présent, ces rencontres n'ont abordé les oiseaux que dans l'abstrait ; jamais un oiseau en chair et en os n'y a servi d'illustration. Le mémoire que j'ai rédigé repose sur les inestimables informations que j'ai rassemblées au cours des deux derniers mois sur le comportement de cet oiseau. Corvus sera là en personne pour réduire au silence mes détracteurs.

10 novembre

J'écris ceci dans l'avion. Je n'ai à relater qu'une seule anecdote. Comme nous étions sur le point de quitter la maison, je me suis aperçu que Corvus donnait les signes de la plus grande agitation et cherchait de toute évidence à sortir de sa cage. Je n'en voyais pas les raisons. Je lui ai néanmoins ouvert la porte. Elle a voleté jusqu'à mon bureau et s'est mise à donner furieusement du bec contre le tiroir. Je l'ai ouvert. Mon passeport s'y trouvait encore.

J'ai construit un nouveau type de cage pour Corvus. Y est maintenue la température qui lui convient le mieux. Pour son alimentation, j'ai mis au point de petits globules à la fois savoureux et nourrissants. Corvus a éveillé la curiosité des passagers de l'avion, qui n'avaient jamais vu semblable animal de compagnie. Je n'ai parlé à personne de sa particularité, que je préfère garder secrète. Et l'oiseau lui-même, ressentant probablement cela, se comporte comme une corneille ordinaire.

14 novembre

Hôtel Excelsior, Santiago, onze heures. J'ai été trop occupé ces derniers jours pour écrire quoi que ce soit. Je vais d'abord narrer mon intervention, puis j'en viendrai aux événements fort déconcertants qui se sont produits récemment. Pour abréger, je dirai que je peux être fier de mon exposé. La lecture du mémoire en a occupé la première demi-heure.

Sitôt monté sur le podium, j'avais tiré Corvus de sa cage pour la poser sur la table. Il s'agissait d'une longue table d'acajou derrière laquelle siégeaient les organisateurs. Je me trouvais en bout de table, devant le micro. Tout au long de l'exposé, Corvus m'a écouté avec la plus extrême attention, hochant parfois la tête pour montrer qu'elle comprenait le sens de mon propos. Aux applaudissements qui ont suivi, elle a apporté sa contribution en tambourinant du bec sur le plateau de la table.

Elle n'a pas eu un instant de répit au cours de la démonstration qui a suivi. Elle a fait étalage de tout ce qu'elle a appris au cours des deux derniers mois, au grand étonnement des délégués, qui tous se sont accordés pour dire qu'ils n'avaient jamais imaginé qu'un oiseau pût faire montre d'une telle intelligence. L'édition du soir du *Correro de Santiago* a étalé la nouvelle à la une, assortie d'une photo de Corvus un crayon dans le bec.

Après l'assemblée, Grenfell et moi sommes allés visiter la ville en compagnie du président, señor Covarrubias. C'est une métropole animée et élégante, à l'est de laquelle la chaîne des Andes se dresse comme une muraille entre Chili et Argentine. Nous roulions depuis peut-être une heure quand Covarrubias s'est retourné vers moi pour dire : « Vous devez avoir remarqué que notre programme prévoit diverses réjouissances pour la distraction de nos invités. Je vous recommande tout particulièrement le spectacle que donne ce soir le magicien chilien Argus. Il a la particularité d'utiliser nombre d'oiseaux dressés. »

Très intéressé, de même que Grenfell, je suis donc allé au théâtre Plaza voir le spectacle du señor Argus. Il est exact qu'il utilise beaucoup d'oiseaux. Des canards, des perroquets, des pigeons, des poules, une grue immense et une volière de colibris, qui ont tous à l'évidence reçu un dressage très soigneux. Mais aucun de ces oiseaux n'arrive à la cheville de Corvus. Pour dire vrai, j'ai trouvé le magicien bien plus intéressant que ses oiseaux. Il mesure plus d'un mètre quatre-vingt-cinq, avec un nez en bec de perroquet, et des cheveux séparés au milieu, plaqués et lustrés. Il porte des verres si épais que ses pupilles ne sont plus que deux petits points noirs. Des manches de sa redingote noire émergent des mains immenses et pâles dont les doigts interminables ensorcellent l'assistance de leurs mouvements sinueux. Même si le spectacle n'était pas de première qualité, la présence et la personnalité d'Argus faisaient que l'on ne regrettait pas son argent. Sur les marches du théâtre, j'ai dit à Grenfell qu'il serait bon de montrer à cet homme, maintenant qu'il nous avait montré les siens, certains des tours de Corvus.

Le dîner fut suivi d'un excellent café chilien et d'une promenade en compagnie de Grenfell dans les jardins de l'hôtel. Il était dix heures lorsque j'ai regagné ma chambre. J'allais éteindre quand le téléphone a sonné.

« Señor Shonku ?

— Oui.

— Je vous appelle de la réception. Désolé de vous déranger à une heure pareille, monsieur, mais il y a là un monsieur qui insiste pour vous voir. »

J'ai dit que j'étais trop fatigué pour recevoir qui que ce soit, et qu'il était préférable que ce monsieur prît rendez-vous pour le lendemain matin. J'étais certain qu'il s'agissait encore d'un journaliste. J'avais déjà été interviewé à quatre reprises. Certaines des questions que ces gens posaient éprouvaient rudement la patience, même d'une personne aussi placide que votre serviteur. Ainsi, l'un d'eux m'avait demandé si les corneilles, comme les vaches, étaient sacrées en Inde !

Le réceptionniste parla avec le visiteur, puis s'adressa de nouveau à moi.

« Señor Shonku, ce monsieur dit qu'il ne demande que cinq minutes de votre temps. Il n'est pas libre demain matin.

— Ce monsieur, est-ce un journaliste ?

— Non. Il s'agit du célèbre magicien chilien Argus. »

Je ne pouvais que le laisser monter. J'ai rallumé la lampe. Trois minutes plus tard, on a sonné à la porte.

Cet homme qui, sur scène, semblait dépasser le mètre quatre-vingts, me paraissait maintenant avoisiner les deux mètres. En fait, jamais je n'avais rencontré quelqu'un d'aussi grand. Même lorsqu'il s'est incliné, il me dépassait encore de trente bons centimètres.

Je l'ai fait entrer. Il avait enlevé son costume de scène et portait maintenant un costume ordinaire, à ceci près qu'il était lui aussi entièrement noir. Lorsqu'il est entré, j'ai remarqué qu'un numéro de l'édition du soir du *Correro* dépassait de sa poche. Après que je l'eus félicité pour son spectacle, nous nous sommes assis. « Pour autant que je m'en souvienne, ai-je dit, un personnage de la mythologie grecque avait des yeux sur l'ensemble de son corps et se nommait Argus. Un nom tout désigné pour un magicien. »

Argus s'est mis à sourire. « En ce cas, vous vous rappelez sûrement que ce personnage n'était pas sans rapport avec les oiseaux.

— La déesse Héra lui avait arraché les yeux pour les déposer sur la queue du paon, d'où les marques circulaires que l'on y voit de nos jours. Ce qui m'intrigue, ce sont vos lunettes. Quelle est la puissance de vos verres ?

— Moins vingt. Mais cela ne constitue pas une gêne. Aucun de mes oiseaux n'est myope. »

Argus a ri de sa plaisanterie. Soudain, il s'est tu, bouche bée. Il venait d'aviser la cage de plastique posée sur une étagère dans un coin de la chambre. En rentrant, j'avais trouvé Corvus endormie. A présent, elle était réveillée et regardait fixement le magicien.

Celui-ci, la bouche toujours ouverte, a quitté son siège pour s'avancer sur la pointe des pieds jusqu'à la cage. Il a regardé la corneille pendant une minute entière. Puis il a recouvré l'usage de la parole. « Depuis que j'ai lu l'article à propos de cet oiseau, je n'ai plus songé qu'à vous rencontrer. Je n'ai pas eu le privilège de vous entendre. Je ne suis pas ornithologue, mais je dresse moi aussi des oiseaux. »

Il a alors regagné son fauteuil. Il avait l'air préoccupé. « Je me doute que vous devez être fatigué, a-t-il repris, mais si vous pouviez seulement sortir cet oiseau de sa cage... que j'aie au moins un aperçu de son intelligence...

— Voyez-vous, señor Argus, je ne suis pas le seul à être fatigué. Corvus l'est aussi. Je vais vous ouvrir la cage, mais pour le reste cela va dépendre de sa bonne volonté. Je ne peux la contraindre à faire quelque chose si elle n'en a pas envie.

— D'accord, ça me va. »

Je suis allé ouvrir la cage. Corvus a volé jusqu'à la table de chevet et, d'un mouvement précis du bec, a éteint la lampe.

La chambre était plongée dans la pénombre. De l'autre

côté de la rue, le néon vert pâle de l'hôtel Métropole nous éclairait par intermittence. Je me taisais. Corvus a regagné sa cage et refermé la porte, toujours à l'aide de son bec.

La lueur verte venait frapper le visage d'Argus ; à travers les verres épais de ses lunettes cerclées d'or, ses yeux paraissaient encore plus reptiliens. Je voyais qu'il était au comble de l'étonnement et que le sens de l'action de Corvus ne lui avait pas échappé. L'oiseau entendait se reposer. Il ne voulait pas que la chambre fût éclairée. L'obscurité et dormir, voilà ce qu'il voulait.

De dessous la fine moustache est sorti un balbutiement : « Magnifico ! » Argus avait ramené les mains sous son menton, paume contre paume, en un geste d'applaudissement figé.

C'est alors que j'ai remarqué ses ongles. Extraordinairement longs et luisants. Il les avait passés au vernis argenté, afin que les feux de la rampe mettent en valeur le jeu de ses doigts. La lueur verte s'y réfléchissait en rythme.

« *Il me faut cet oiseau !* » a-t-il fait en anglais d'une voix sourde. Jusqu'alors il n'avait parlé qu'espagnol. J'ai conscience, en relatant ceci, que cet homme peut paraître animé d'une convoitise éhontée. En fait, il me suppliait.

« Il me le faut ! » a-t-il répété.

Je le considérais en silence. Je n'avais nul besoin de parler pour l'instant. J'attendais de voir ce qu'il avait à dire.

Après avoir longuement regardé dehors, il s'est retourné vers moi. J'étais fasciné par l'alternance sur son visage de l'ombre et de la lumière. Pendant une seconde il était ici, puis il n'y était plus. On eût pu y voir quelque magie.

Il s'est désigné du doigt.

« Regardez-moi, professeur. Je m'appelle Argus. Je suis le meilleur magicien au monde. Dans toutes les villes d'Amérique du Nord et du Sud, tous ceux qui s'intéressent à la magie me connaissent. Hommes, femmes, enfants, tout le monde me connaît. Le mois prochain, j'entame une tournée mondiale. Rome, Madrid, Paris, Londres, Athènes, Stockholm, Tokyo... Toutes ces capitales acclameront mon génie. Mais savez-vous ce qui peut rendre mon art mille fois plus merveilleux ? C'est cet oiseau, cette corneille indienne. Je veux cet oiseau, professeur, je le veux !... »

Tout en parlant, Argus faisait jouer ses mains devant moi à la façon de deux serpents se dressant aux accents d'une flûte ; ses ongles accrochaient la lueur intermittente de l'enseigne au néon. J'étais malgré moi sous le charme. Si un autre que moi avait été à ma place, nul doute qu'Argus fût arrivé à ses fins. Le moment était venu de lui faire comprendre que cela ne marcherait pas avec moi.

« M. Argus, ai-je fait, vous perdez votre temps. Il est vain de tenter de m'hypnotiser. Je ne puis accéder à votre requête. Corvus n'est pas seulement mon élève, c'est pour moi comme un fils, un ami... Elle est l'aboutissement d'un travail inlassable.

— Professeur ! a-t-il lancé d'une voix dure, qu'il s'est empressé de radoucir. Professeur, avez-vous conscience de ce que je suis milliardaire ? Savez-vous que je possède une demeure de cinquante pièces dans la banlieue est de cette ville ? Que j'ai vingt-six domestiques et quatre Cadillac ? Rien n'est trop cher pour moi, professeur. Pour cet oiseau, je suis disposé à vous verser sur-le-champ dix mille escudos. »

Dix mille escudos, cela fait à peu près quinze mille roupies. Argus ignorait que, si la dépense ne représentait rien pour lui, l'argent n'était rien pour moi. Je le lui ai dit. Il a fait une dernière tentative.

« Vous qui êtes indien, ne croyez-vous pas aux associations mystiques ? Argus-Corvus... comme ces deux noms vont bien ensemble ! Ne voyez-vous pas que le destin de cet oiseau est de me revenir ? »

J'en avais assez entendu. Je me suis levé. « M. Argus, vous pouvez garder vos voitures, maisons, richesses et renommée. Corvus reste avec moi. Sa formation n'est pas terminée, j'ai encore du travail à accomplir avec elle. Je suis extrêmement fatigué. Vous aviez sollicité cinq minutes de mon temps, je vous en ai donné vingt. Je ne puis vous en accorder davantage. Je voudrais maintenant dormir un peu, et mon oiseau de même. Par conséquent, bonne nuit. »

Il me faut avouer que je ressentais quelque pitié devant son air misérable ; je n'en montrais rien cependant. Il s'est une nouvelle fois incliné et, marmonnant bonne nuit en espagnol, il est sorti.

Ayant refermé la porte, je me suis approché de la cage. Corvus ne dormait pas. En me regardant, elle a émis la syllabe « kay » (qui ?) d'un ton qui marquait clairement l'interrogation.

« Un magicien un peu fou, lui ai-je répondu, avec plus d'argent qu'il ne lui en faudrait pour son bien. Il voulait t'acheter, mais j'ai refusé. Tu peux dormir tranquille. »

16 novembre

J'aurais voulu relater hier soir ce qu'il s'est passé au cours de la journée, mais il m'a fallu une bonne partie de la nuit pour surmonter le choc.

La façon dont la journée avait commencé n'annonçait en rien l'imminence du danger. La matinée a été occupée par une séance de travail dont le seul événement notable fut l'intervention impromptue, extraordinairement ennuyeuse, de l'ornithologue japonais Morimoto. Après avoir parlé pendant peut-être une heure, il a subitement perdu le fil de son propos et s'est mis à chercher ses mots. A ce point, Corvus, que j'avais amenée avec moi, a décidé de déclencher des applaudissements en se frottant le bec sur l'accoudoir de mon fauteuil. Cela lui a valu un éclat de rire général, et à moi un embarras extrême.

Ensuite, un déjeuner était donné à l'hôtel pour quelques-uns des congressistes. Avant de m'y rendre, j'ai regagné ma chambre, la 71, pour remettre Corvus dans sa cage. Après lui avoir donné à manger, je lui ai dit : « Tu vas rester ici. Je descends déjeuner. »

Toujours très obéissante, Corvus n'a pas protesté.

Lorsque je suis remonté, il était deux heures et demie. Mon cœur s'est serré quand j'ai voulu mettre la clef dans la serrure. La porte était entrebâillée. Je me suis précipité dans la chambre pour voir se confirmer mes pires craintes : Corvus et sa cage avaient disparu.

Je me suis rué dans le couloir. Le local du personnel était situé deux suites plus loin. Deux garçons d'étage s'y trouvaient, debout, muets, l'œil vitreux. Il était clair qu'on les avait hypnotisés.

J'ai couru jusqu'au 107, chambre de Grenfell. Je lui ai tout raconté et nous sommes descendus ensemble à la réception. « Personne n'a demandé la clef de votre chambre, m'a répondu l'employé. Les garçons d'étage ont un double. Peut-être l'auront-ils donné à quelqu'un. »

Les garçons d'étage n'avaient pas eu à donner les clefs. Argus les avait neutralisés et s'était lui-même servi.

Nous avons fini par apprendre ce qu'il s'était réellement passé de la bouche du concierge. Argus était arrivé une demi-heure plus tôt à bord d'une Cadillac argentée. Dix minutes plus tard, il était ressorti chargé d'un colis emballé de cellophane. Il était remonté en voiture et s'en était allé.

Une Cadillac argentée. Mais où s'était-il ensuite rendu ? Chez lui ? Ailleurs ?

Nous ne pouvions que nous en remettre à Covarrubias. « Je peux vous trouver très vite le lieu de résidence d'Argus, nous a-t-il déclaré. Mais cela servirait-il à grand-chose ? Il est peu probable qu'il soit rentré chez lui. Il a dû aller se cacher quelque part avec votre corneille. Mais s'il a choisi de quitter la ville, il n'a pu prendre qu'une seule direction. Je peux vous trouver une bonne voiture, un chauffeur et du personnel de police pour vous accompagner. Mais le temps presse. Il faut que vous soyez sur l'autoroute dans une demi-heure d'ici. Avec un peu de chance, vous pouvez encore le retrouver. »

A trois heures quinze, nous étions en route. Avant de partir, j'ai téléphoné de l'hôtel pour m'assurer qu'Argus n'était pas rentré chez lui. Nous étions à bord d'une voiture de la police, en compagnie de deux agents. L'un d'eux, jeune type du nom de Carreras, s'avéra bien informé au sujet d'Argus. Celui-ci avait plusieurs caches possibles à l'intérieur et à l'extérieur de Santiago ; il avait à une certaine époque frayé avec des gitans. Il donnait des spectacles de magie depuis l'âge de dix-neuf ans. Quatre ans plus tôt, il avait inclus des oiseaux dans son spectacle, ce qui avait donné un sérieux coup de pouce à sa renommée.

J'ai demandé à Carreras si Argus était vraiment milliardaire.

« Il en a tout l'air, m'a répondu le policier. Mais c'est un radin. Et il n'a confiance en personne. C'est pourquoi il ne compte plus que très peu d'amis. »

Quand, quittant la ville, nous nous sommes engagés sur l'autoroute, un petit problème s'est présenté. L'autoroute bifurquait. Une voie partait vers le nord et les Andes, l'autre s'orientait à l'ouest vers Valparaiso. Juste avant l'embranchement, une station-service. Nous avons interrogé le pompiste. « Une Cadillac argentée ? Celle du señor Argus ? Oui, je l'ai vue prendre la route de Valparaiso il y a un petit moment. »

Nous nous sommes élancés à sa poursuite. Je savais que Corvus ne courait aucun danger puisque Argus avait grand besoin d'elle. Mais son comportement de la veille indiquait clairement qu'elle n'appréciait pas du tout le magicien. Et cela me peinait de penser combien elle devait être malheureuse entre les griffes de son ravisseur.

Nous nous sommes arrêtés dans deux autres stations-service où l'on nous confirma que la Cadillac venait de passer quelque temps avant.

Je suis un optimiste. Je me suis sorti de bien des pétrins au cours de ma vie. Jusqu'à présent, aucune de mes entreprises n'a connu d'échec. Mais Grenfell, qui était assis à côté de moi, ne cessait de secouer la tête en répétant : « N'oubliez pas, Shonku, que vous avez affaire à un homme redoutablement intelligent. Maintenant qu'il a mis la main sur Corvus, il ne va pas être facile de la récupérer. »

Et Carreras d'ajouter : « Le señor Argus est peut-être armé. Je sais qu'il utilise de vrais revolvers dans certains de ses numéros. »

La route était en pente douce. De l'altitude de Santiago, qui est de cinq cents mètres, nous étions passés à trois cents mètres. Derrière, les massifs montagneux disparaissaient peu à peu dans la brume. Nous avions déjà parcouru soixante-cinq kilomètres ; encore autant et nous serions à Valparaiso. L'attitude maussade de Grenfell commençait d'entamer ma cuirasse d'optimisme. Si nous ne rattrapions pas Argus sur la route, il nous faudrait le chercher en ville, ce qui présenterait cent fois plus de difficulté.

Nous étions en train de gravir une forte déclivité. Nous ne voyions rien au-delà du sommet de la côte. Parvenus en haut, nous avons vu que la route s'étirait en pente douce aussi loin que portait le regard. Quelques arbres en parsemaient les bords ; un village se devinait dans le lointain ; des buffles paissaient dans un pré. Pas un être humain en vue. Mais qu'apercevait-on là-bas ? C'était encore assez éloigné. Au moins quatre cents mètres.

Nous avons bientôt identifié une voiture. Elle luisait au soleil, arrêtée en travers sur le bas-côté.

Une Cadillac ! Une Cadillac argentée !

Notre Mercedes s'est immobilisée à sa hauteur. Nous avons tout de suite compris ce qu'il s'était passé : elle avait fait une embardée et percuté un arbre ; tout l'avant était embouti.

« C'est la voiture du señor Argus, a dit Carreras. Il n'y a qu'une seule autre Cadillac de cette couleur à Santiago, celle du banquier, le señor Galdames. Je reconnais celle-ci à son numéro. »

La voiture était là, mais où était passé Argus ?

Qu'est-ce que c'était que cela, sur le siège avant ?

J'ai passé la tête à l'intérieur. Il s'agissait de la cage de Corvus. J'en avais la clef dans ma poche. Avant d'aller déjeuner, je m'étais contenté d'en fermer la porte sans lui donner un tour de clef. De toute évidence, Corvus avait quitté la cage par ses propres moyens. Mais que s'était-il passé ensuite ?

Tout à coup, nous avons entendu quelqu'un crier au loin. Carreras et l'autre policier ont sorti leur arme. Notre chauffeur, lui, était un vrai poltron. Il est tombé à genoux et s'est mis à prier. Grenfell avait le visage décomposé. « Les magiciens m'ont toujours donné la chair de poule, a-t-il fait.

— Il vaudrait peut-être mieux que vous restiez dans la voiture », ai-je répondu.

Les cris se rapprochaient. Ils semblaient provenir de fourrés qui se trouvaient à quelque distance de là, à gauche de la route. Il m'a fallu quelque temps pour reconnaître cette voix, car je n'en avais entendu la veille qu'un murmure voilé. C'était celle d'Argus. Il déversait un torrent d'imprécations en espagnol et y associait le nom de mon oiseau.

« Où est passé cet oiseau du diable ? Corvus ! Corvus ! Qu'il aille en enfer ! »

Argus tout à coup s'est figé. Il nous avait vus. Il se tenait à une trentaine de mètres de là, près d'un groupe de buissons. Il avait un revolver dans chaque main.

« Baissez vos armes, señor Argus, lui a lancé Carreras. Sinon... »

Avec une détonation assourdissante, une balle est venue s'écraser sur la portière de la Mercedes. Trois autres coups de feu ont suivi. Les balles sifflaient au-dessus de nos têtes.

127

« Señor Argus, nous sommes armés, a lancé Carreras d'une voix menaçante. Si vous ne jetez pas vos armes, nous nous verrons obligés de vous tirer dessus.

— Me tirer dessus ? a gémi l'autre d'une voix altérée. Vous êtes de la police ? Je ne vois rien ! »

Il se trouvait maintenant à une dizaine de mètres. C'est alors que j'ai compris son problème. Il avait perdu ses lunettes, et c'est pourquoi il tirait au jugé.

Il a laissé tomber ses revolvers et s'est avancé en trébuchant. Les deux policiers sont allés jusqu'à lui. Je savais que dans l'état où il se trouvait, Argus n'essaierait pas de nous jouer un de ses tours. Il était pitoyable. Carreras a ramassé les pistolets. L'autre se lamentait : « L'oiseau s'est échappé... Satanée corneille ! Elle est d'une intelligence diabolique ! »

Cela faisait déjà un moment que Grenfell essayait de dire quelque chose. J'ai fini par comprendre ce qu'il bredouillait.

« Shonku, voilà votre oiseau. »

Qu'est-ce qu'il racontait ? Je ne voyais Corvus nulle part.

Grenfell montrait la cime dénudée d'un acacia, de l'autre côté de la route.

J'ai levé les yeux. Oui, elle était là-haut, mon amie, mon élève, ma chère vieille Corvus, juchée sur la plus haute branche, en train de nous regarder calmement.

Je lui ai fait signe. Elle s'est gracieusement laissée descendre à la façon d'un cerf-volant pour se poser sur le toit de la Mercedes. Puis, précautionneusement, comme pleinement consciente de sa valeur, elle a déposé devant nous l'objet qu'elle tenait dans son bec, les verres épais, cerclés d'or, du señor Argus.

Dimoi

Osaka, le 12 mars

Lₐ DÉMONSTRATION a eu lieu aujourd'hui en présence de plus de trois cents scientifiques et de cent journalistes venus du monde entier. Dimoi a été placé sur un piédestal en pellucidite transparente d'un mètre vingt de haut, sur la scène du grand amphithéâtre de l'institut de technologie Namura. Lorsque les deux employés de l'institut sont apparus transportant la rutilante sphère de platine, la salle a spontanément applaudi. Qu'un appareil capable de répondre à un million de questions pût avoir les dimensions d'un ballon de football, ne peser que quarante-deux kilos et ressembler si peu à une machine était une totale surprise pour l'assistance. Le fait est qu'en cet âge de la microminiaturisation, aucun instrument, si sophistiqué soit-il, n'a besoin d'être volumineux. Il y a cinquante ans, au temps des meubles-radio, qui aurait imaginé que l'on pourrait un jour suivre les programmes de télévision sur sa montre-bracelet ?

Il n'est pas douteux que Dimoi est un triomphe de la technologie moderne. Mais il est tout aussi certain que, dans l'élaboration d'instruments compliqués, l'homme est bien loin d'égaler la nature. La machine que nous avons construite contient dix millions de circuits. Le cerveau humain, qui fait le quart du volume de Dimoi, contient environ cent millions de neurones. Cette seule donnée témoigne de la complexité de sa constitution.

Je précise que notre ordinateur est incapable de calculs mathématiques. Son rôle est de répondre à des questions qui normalement nécessiteraient le recours à une encyclopédie. Une autre caractéristique unique de cet ordinateur est qu'il donne ses réponses oralement en anglais, avec un timbre clair et limpide. La première interrogation doit être précédée des mots « dis-moi », qui activent l'appareil et dont il tire son nom. L'échange terminé, le mot « merci » le déconnecte. Il est muni d'une batterie d'un type nouveau, qui lui est intégrée et dont la durée de vie est de cent vingt heures. La sphère est percée, sur une surface de six centimètres carrés, de deux cents orifices minuscules ; c'est par eux qu'entrent les questions et que sortent les réponses. Ces questions doivent être de nature à n'appeler qu'une réponse brève. Ainsi, bien que les invités eussent été préalablement instruits de la chose, il s'est trouvé un journaliste philippin pour demander à l'appareil de lui parler de la civilisation de l'ancienne Chine. Naturellement, il n'a pas obtenu de réponse. En revanche, quand ce même journaliste a posé une question sur un aspect spécifique de cette civilisation, l'appareil a répondu avec une rapidité et une précision qui ont étonné tout le monde.

Dimoi peut non seulement fournir des renseignements, mais aussi raisonner logiquement. Le docteur Solomon, biologiste nigérien, a demandé s'il valait mieux pour un jeune babouin se trouver en présence d'un cerf affamé ou en présence d'un chimpanzé affamé. Dimoi a aussitôt répondu : « Le cerf est préférable. » « Pourquoi ? » a demandé Solomon. La réponse a été énoncée d'une voix précise : « Parce que le chimpanzé est carnivore. » Ce fait est de découverte récente ; il y a encore dix ans, chacun pensait que les singes de toutes espèces étaient végétariens.

En plus, Dimoi est capable de prendre part à des parties de bridge ou d'échecs, de relever en musique une fausse note ou une erreur de rythme, d'identifier un peintre d'après la description verbale de l'une de ses toiles, de prescrire remèdes ou régimes pour certains types de maladies, et même de donner les chances de guérison d'après des indications sur l'état d'un patient.

Ce qui fait défaut à Dimoi, ce sont des capacités à penser, à ressentir, et des pouvoirs surnaturels. Lorsque le professeur Maxwell de l'université de Sydney lui a demandé si l'homme lirait encore des livres dans cent ans d'ici, Dimoi est resté silencieux car la prospective n'entre pas dans ses possibilités. En dépit de ces lacunes, Dimoi surpasse l'être humain sur une chose : l'information stockée dans son cerveau n'accuse aucune déperdition. Avec l'âge, l'homme le plus brillant souffre d'une perte de ses facultés. Ainsi moi, l'autre jour à Giridih, je me suis surpris à appeler mon domestique Prayag au lieu de Prahlad, qui est son vrai nom. C'est là un type d'erreur que Dimoi ne fera jamais. Ainsi donc, d'une certaine manière, il est plus sûr, plus fiable que son créateur.

L'idée originale est d'un Japonais, Matsue, qui compte parmi les plus grands noms de l'électronique. Le gouvernement approuva le projet et accepta de le financer. Les techniciens de l'institut Namura travaillèrent dur pendant sept ans pour construire Dimoi. Au cours de la quatrième année, juste avant l'achèvement des travaux préliminaires, Matsue convia sept scientifiques des cinq continents à venir travailler à la programmation de l'ordinateur. Il va sans dire que j'étais du nombre. Les six autres étaient un Anglais, le docteur John Kensley, le docteur Stephen Merrivale du Massachusetts Institute of Technology, un Russe, le docteur Stassof, le professeur Stratton, de Melbourne, le professeur Kuttna, citoyen hongrois, et enfin le docteur Ugati, venu d'Afrique occidentale. Merrivale mourut d'une crise cardiaque trois jours avant de s'envoler pour le Japon. Il fut remplacé par le docteur Marcus Wingfield, lui aussi du MIT. Certains de ces scientifiques ont séjourné sur place comme invités du gouvernement japonais pendant toute la durée de ces trois ans. D'autres, comme moi, sont venus à intervalles réguliers pour de courts séjours. Au cours de ces trois années, j'ai fait onze fois le voyage.

J'aimerais maintenant évoquer un événement extraordinaire. Avant-hier, le 10 mars, a eu lieu une éclipse de soleil. Le Japon se trouvait dans la zone d'occultation totale. En raison de cette journée toute particulière, nous avions décidé de terminer nos travaux pour le 10. Le 8 mars, nous pensions en avoir terminé, lorsque nous nous sommes aperçus que la machine n'émettait aucun son. La sphère avait été conçue de sorte qu'on pût l'ouvrir par le milieu. C'est ce que nous fîmes. Il nous fallait maintenant découvrir l'élément fautif parmi les dix millions de circuits.

Nous avons cherché pendant deux jours et deux nuits. Le 10, alors que l'éclipse allait commencer — elle était prévue pour treize heures trente-sept —, un sifflement suraigu a été émis par le haut-parleur de Dimoi. Il fonctionnait enfin. Avec un soupir de soulagement, nous sommes sortis pour aller observer l'éclipse. Je me suis demandé s'il fallait voir une corrélation entre le commencement de l'éclipse et l'activation de l'appareil.

A l'institut, un local a été spécialement construit pour lui. La température y est contrôlée en permanence. Dimoi repose sur la surface concave du piédestal de pellucidite, au fond de la salle, contre le mur. Par un orifice percé dans le plafond, une lampe projette un puissant faisceau qui illumine la sphère. La lumière demeure allumée en permanence. Dimoi étant un trésor national, il est surveillé par des gardes armés. On doit garder présent à l'esprit que même les nations peuvent être jalouses l'une de l'autre ; à deux reprises j'ai entendu Wingfield grommeler que les USA étaient battus par le Japon dans le domaine de la technologie des ordinateurs. Un mot sur Wingfield. Il est certain qu'il s'agit de quelqu'un de tout à fait qualifié ; mais personne ne l'apprécie beaucoup. La raison en est probablement que Wingfield est un des individus les plus maussades qui soient. A Osaka, personne ne se souvient l'avoir vu rire au cours des trois dernières années.

Trois des scientifiques étrangers repartent aujourd'hui. Ceux qui restent sur place sont Wingfield, Kensley, Kuttna et moi. Wingfield souffre de la goutte et se fait traiter par un spécialiste d'Osaka. Pour ma part, j'ai l'intention de voyager un peu dans le pays. Demain, Kensley et moi allons à Kyoto. Physicien de profession, Kensley s'intéresse à des foules de choses. On pourrait dire qu'il fait autorité en matière d'art japonais. Il a très envie d'aller à Kyoto, ne serait-ce que pour ses temples bouddhistes et ses jardins zen. Le biologiste hongrois Krzystoff Kuttna ne s'intéresse pas à l'art ; il est en revanche une chose qui le passionne et que je suis seul à connaître, étant la seule personne à qui il en parle volontiers. Cette chose ne relève pas strictement du domaine de la science. En voici un exemple :

Nous avons pris notre petit déjeuner ensemble ce matin. Kuttna a bu une gorgée de café et m'a dit, de façon tout à fait inattendue : « Je n'ai pas regardé l'éclipse l'autre jour. »

Je ne m'en étais pas aperçu. Une éclipse de soleil est pour moi un événement tout à fait extraordinaire. La couronne solaire au moment de l'occultation totale est un spectacle si saisissant que je ne remarque jamais qui l'observe à côté de moi. J'étais étonné que Kuttna ait pu laisser passer une occasion pareille. « Quelque crainte superstitieuse vous empêcherait-elle de regarder une éclipse ? » lui ai-je demandé.

Au lieu de répondre, il m'a posé une question : « Est-il possible qu'une éclipse de soleil ait une influence quelconque sur le platine ?

— Pas que je sache, ai-je dit. Pourquoi me demandez-vous cela ?

— En ce cas pourquoi la sphère a-t-elle perdu de sa brillance pendant les deux minutes et demie d'éclipse totale ? J'ai clairement vu un voile descendre sur elle dès que l'occultation a été totale. Voile qui s'est levé à l'instant où le soleil a commencé de réapparaître. »

Je ne savais que dire. « Qu'est-ce que vous en pensez ? » ai-je fait au bout du compte, en me demandant quel âge pouvait avoir Kuttna et si tout ceci n'était pas un symptôme de sénilité.

« Je n'en pense rien, a-t-il dit, car je n'avais jamais rien vu de tel. Tout ce que je peux dire, c'est que je serais heureux si tout cela s'avérait n'être qu'une illusion d'optique. Je ne suis pas superstitieux en ce qui concerne les éclipses, mais je le suis en revanche en ce qui concerne l'intelligence artificielle. Quand Matsue m'a demandé de venir, je ne le lui ai pas caché. Je lui ai dit que si l'homme continue d'utiliser des machines pour remplir des fonctions humaines, il pourrait arriver un temps où les machines prendront l'ascendant sur lui. »

La conversation s'est arrêtée là à cause de l'arrivée de Kensley et Wingfield. L'idée de Kuttna n'a rien de nouveau.

Que l'homme puisse être un jour dominé par la machine est dans l'air depuis déjà un bon moment. Il n'est par exemple que de considérer la dépendance de l'homme vis-à-vis des véhicules. Avant l'ère des transports mécaniques, même les citadins avaient coutume de faire sans problème dix ou douze kilomètres à pied par jour ; aujourd'hui l'homme des villes est perdu sans moyen de locomotion. Mais cela ne signifie pas qu'il faille mettre un terme au progrès scientifique. La machine doit servir à alléger le travail de l'homme. Il n'est pas question de revenir aux temps primitifs.

Kyoto, le 14 mars

Ce que j'ai pu lire ou entendre d'élogieux sur cette ville n'avait rien d'exagéré. Je n'aurais jamais cru que le sens esthétique d'un peuple pouvait s'exprimer ainsi dans une ville tout entière. Cet après-midi, nous sommes allés voir le célèbre temple zen et son jardin. Il est difficile d'imaginer atmosphère plus paisible. Nous y avons rencontré le fameux érudit Tanaka, saint homme dont la placidité s'accorde parfaitement à ces lieux. Après que nous lui avons parlé de notre ordinateur, il a eu un doux sourire et nous a demandé : « Votre machine peut-elle nous dire quelle volonté préside à la parfaite coïncidence qui fait qu'un corps céleste en éclipse un autre ? »

C'est là l'interrogation d'un authentique philosophe. La lune est tellement plus petite que le soleil, et pourtant sa distance à la terre est telle qu'elle semble avoir exactement le même diamètre que le soleil. Enfant, je mesurais pleinement le caractère merveilleux de cette coïncidence. J'ai toujours éprouvé un profond émerveillement face à ce phénomène de l'éclipse de soleil. Comment Dimoi pourrait-il connaître la réponse à cette question alors que nous ne la connaissons pas nous-mêmes ?

Nous allons passer une autre journée ici, puis nous irons à Kamakura. Je tire un grand bénéfice de la compagnie de Kensley. Les bonnes choses semblent encore meilleures lorsque l'on se trouve avec quelqu'un qui les apprécie.

Le 15 mars

J'écris ceci dans notre compartiment, en gare de Kyoto. Il y a eu un fort tremblement de terre cette nuit, à deux heures trente. La terre tremble souvent au Japon, mais cette fois cela a duré neuf secondes, causant d'importants dégâts. Ce n'est cependant pas la seule raison qui nous pousse à rentrer. Le séisme est à l'origine d'un incident qui requiert notre retour immédiat à Osaka. C'est Matsue qui m'a téléphoné à cinq heures du matin pour m'annoncer la nouvelle.

Dimoi a disparu.

Nous n'avons pu parler longuement au téléphone. De toute façon, Matsue parle un anglais décousu. Dans l'état d'agitation où il se trouvait, il avait du mal à se faire comprendre. Voici le peu qu'il a pu me dire : immédiatement après le tremblement de terre, on a découvert que le piédestal de pellucidité avait été renversé et que Dimoi n'était plus là. Les deux gardiens ont été retrouvés inanimés ; ils avaient tous les deux les jambes brisées. Ils sont actuellement à l'hôpital et n'ont pas encore repris connaissance. On ignore donc toujours ce qui les a mis dans cet état.

A Kyoto, quatre-vingt-dix personnes ont été tuées dans l'effondrement de leur maison. Dans la gare, tout le monde parle du tremblement de terre. Pour être honnête, je n'en menais pas large cette nuit lorsque les premières secousses ont commencé. Je me suis précipité hors de l'hôtel en même temps que Kensley. Dehors, une vaste foule témoignait de ce que tout le monde avait quitté les habitations.

Quel malheur ! Une telle somme d'argent, de travail et de savoir-faire est entrée dans la mise au point de l'appareil le plus sophistiqué qui soit au monde, et voici qu'au bout de trois jours il s'évanouit dans la nature.

Osaka, le 15 mars, onze heures

Je suis assis dans ma chambre de l'International Guest House, qui fait face de l'autre côté d'un jardin public à l'institut Namura. De ma fenêtre, on pouvait voir la tour

135

de l'institut. Elle n'est plus là, s'étant effondrée pendant le tremblement de terre de la nuit dernière.

Matsue est venu nous prendre en voiture à la gare. Il nous a conduits directement à l'institut. Un des gardiens est revenu à lui. Voici son témoignage : lorsque le séisme a commencé, lui et son collègue ont voulu se ruer hors du bâtiment. C'est alors qu'ils ont entendu du bruit venant de la salle où était enfermé Dimoi. Ils ont déverrouillé la porte et sont entrés.

Sa version des événements qui ont suivi est proprement incroyable. Il affirme avoir vu en entrant le piédestal qui gisait sur le sol, et Dimoi qui roulait d'un bout à l'autre de la pièce. A ce moment, l'intensité des secousses avait décru. Les deux gardiens ont marché vers la sphère pour la capturer. C'est alors qu'elle les a chargés, les percutant avec une telle violence qu'ils en ont eu les jambes brisées et se sont évanouis.

Si cette histoire de boule qui roule toute seule est inexacte, la seule autre possibilité est le vol. Konoye, le gardien en question, a reconnu que lui et son collègue étaient légèrement éméchés. Il n'est pas improbable que, dans cet état, ils se soient précipités hors du bâtiment ; il y avait cette nuit-là des gens qui travaillaient dans le laboratoire de l'institut, et tous ont fait de même. Cela signifie que la plupart des portes étaient restées ouvertes. Il n'y avait rien pour empêcher des étrangers à l'institut d'y pénétrer. Un cambrioleur astucieux a très bien pu tirer avantage de la panique générale et escamoter à l'insu de tous cette sphère de quarante-deux kilos.

Qu'il y ait eu ou non cambriolage, Dimoi a disparu. Qui l'a pris, où se trouve-t-il en ce moment, existe-t-il une possibilité de le récupérer ? Ces questions demeurent sans réponses. Le gouvernement a déjà annoncé qu'il remettrait une récompense de cinq cent mille yens à qui le retrouverait. La police a commencé son enquête. Cependant, le second gardien est revenu à lui ; il affirme avec véhémence que la sphère n'a pas été dérobée, mais que, mue par une force mystérieuse, elle a agressé ceux qui la gardaient avant de s'échapper.

Parmi nous, seul Kuttna croit à la version des gardiens, bien qu'il soit incapable de l'étayer par un raisonnement rationnel. Kensley et Wingfield pensent tous les deux que le vol est la seule explication possible. Le platine est un métal des plus précieux. À notre époque, certains jeunes Japonais sont tout à fait capables, sous l'empire de la drogue, d'entreprendre les actions les plus folles. Certains parmi les plus radicalisés seraient tout disposés à entreprendre semblable cambriolage, ne serait-ce que pour embarrasser le gouvernement. Si un tel groupe s'est effectivement emparé de Dimoi, il en tirera certainement le prix fort avant de le restituer.

Les recherches ne seront pas faciles, car l'agitation créée par le tremblement de terre n'est pas encore retombée. Plus de cent cinquante personnes ont péri à Osaka, tandis que le nombre de blessés dépasse les deux mille. Et rien ne permet de penser qu'il n'y aura pas d'autres secousses.

Kuttna sort d'ici à l'instant. Bien qu'il croie que Dimoi s'est échappé par ses propres moyens, il est incapable d'en imaginer les raisons. Il pense que le fait d'avoir été projeté à terre lors du séisme aura altéré quelque chose dans ses entrailles. En d'autres termes, Dimoi aurait perdu l'esprit.

Pour ma part, je n'arrive pas à y voir clair. Il s'agit pour moi d'une expérience complètement inédite.

Le 16 mars, vingt-deux heures trente

Cette journée a été fertile en événements éprouvants pour les nerfs.

De nous quatre, seul Kuttna garde la tête haute car son idée s'est avérée globalement correcte. Je doute qu'après cela quiconque ait jamais la témérité de travailler sur l'intelligence artificielle.

Hier soir, après avoir refermé ce journal, je ne parvenais pas à trouver le sommeil. Je me suis finalement décidé à prendre un cachet de Somnolin. Comme je me levais pour aller chercher le tube, mon regard s'est porté vers la fenêtre qui donne au nord, celle qui fait face au jardin public et à l'institut Namura. Mon attention avait été attirée par la lumière d'une lampe-torche, en bas dans le parc. Elle ne cessait de s'éteindre et se rallumer, et parcourait une zone assez étendue.

Cela dura une quinzaine de minutes. Il était clair que le

propriétaire de cette lampe cherchait quelque chose. J'ignore si ses recherches ont été ou non fructueuses, mais, s'aidant de sa torche, il a fini par gagner la sortie du jardin public.

Ce matin, j'ai décrit l'incident à mes trois collègues. D'un commun accord, nous avons décidé d'aller jeter un coup d'œil dans le parc après le petit déjeuner.

Nous nous y sommes rendus aux alentours de huit heures. Comme la plupart des villes du Japon, Osaka n'est pas plane, et il faut grimper un raidillon pour atteindre le parc. Là-haut, le chemin serpente entre buissons et arbres en fleurs. Les érables, les bouleaux, les chênes et les châtaigniers abondent. Les Japonais ont depuis longtemps déraciné leurs arbres pour les remplacer par des essences européennes.

Au bout d'une quinzaine de minutes, nous avons rencontré un écolier japonais d'une dizaine d'années, les joues roses, le cheveu ras, le sac en bandoulière. Le garçon s'est aussitôt arrêté. Il nous regardait avec une expression inquiète. « Comment t'appelles-tu ? a demandé Kuttna, qui parle le japonais.

— Seiji.

— Qu'est-ce que tu fais ici ?

— Je vais à l'école.

— Qu'est-ce que tu étais en train de chercher dans les buissons ? »

Pas de réponse.

Cependant, Kensley s'était éloigné vers la droite. « Shonku, venez voir », a-t-il appelé.

Il considérait un endroit dans l'herbe. Wingfield et moi l'avons rejoint. Une certaine étendue de pelouse, des pousses de fleurs sauvages étaient complètement aplaties. A quelques pas de là, nous avons trouvé un lézard écrasé.

Cette fois, il fallait que le garçon réponde à nos questions. Il nous a finalement avoué que la veille en rentrant de l'école il avait vu derrière un buisson une grosse boule de métal. Elle s'était mise à rouler comme il s'en approchait. Il l'avait poursuivie longtemps sans parvenir à la capturer. De retour chez lui, il avait entendu parler à la télévision de la récompense. C'est pourquoi il était revenu en pleine nuit avec une lampe-torche. Mais il n'avait rien trouvé.

Nous l'avons assuré que si la boule était retrouvée dans le parc, nous veillerions à ce que la récompense lui revienne.

Le garçon a eu l'air soulagé. Il nous a donné son adresse et est parti en courant pour l'école. Nous nous sommes alors séparés pour partir dans quatre directions différentes à la recherche de la sphère. Le premier qui trouverait quelque chose devait héler les autres.

Quittant le sentier, je me suis engagé entre les fourrés. Si Dimoi avait effectivement acquis la mobilité, il était douteux qu'il se rende. Si, de surcroît, il s'était pris d'aversion pour l'homme, il serait difficile de prédire ses réactions.

Après cinq minutes d'une prudente progression, j'ai trouvé deux papillons qui gisaient dans l'herbe. L'un d'eux était mort, l'autre remuait encore faiblement les ailes. Il était clair que quelque chose de lourd leur était passé dessus peu de temps auparavant.

Redoublant de prudence, j'ai parcouru encore quelques mètres. Tout à coup un son bref, suraigu, m'a immobilisé, quelque chose comme « Ohé ! ».

Je cherchais à en localiser la source lorsque cet appel s'est de nouveau fait entendre. Il s'agissait forcément de Dimoi, et cela ne pouvait signifier qu'une chose : il jouait à cache-cache avec nous.

Je n'ai pas eu à aller bien loin. Luisant au soleil, Dimoi se trouvait derrière un pied de géranium. Il n'a pas bougé à mon approche. Ayant sans doute entendu les appels, mes trois confrères convergeaient vers nous. La sphère de métal lisse faisait un étrange contraste avec la végétation environnante. Son apparence avait-elle changé ? Cela nous ne pourrions le dire qu'après l'avoir débarrassée de la terre et de l'herbe qui la maculaient.

« Dis-moi... dis-moi... dis-moi... »

Agenouillé dans l'herbe, Kensley répétait les deux mots destinés à activer Dimoi. Nous avions tous hâte de savoir s'il fonctionnait toujours.

« De quelles batailles Napoléon est-il sorti victorieux ? »

La question venait de Wingfield. La même question avait été posée par un journaliste le jour de la démonstration, et Dimoi avait répondu instantanément.

Mais ce jour-là, aucune réponse n'en sortait. Nous avons échangé un regard. Un obscur pressentiment était en train de me gagner. Wingfield s'est encore approché de la sphère pour répéter sa question.

« Dis-moi quelles sont les batailles que Napoléon a gagnées. »

Cette fois, il y a eu une réponse. Non, pas une réponse, mais une contre-interrogation.

« Ne le savez-vous pas ? »

Wingfield en était sidéré. Kuttna avait la mâchoire pendante. La peur qui se mêlait à son expression de surprise était caractéristique de qui est confronté à un événement surnaturel.

Quelle qu'en fût la cause, Dimoi n'était plus le même. Suite à un processus qui nous échappait, il avait transcendé les facultés que l'homme lui avait données. J'étais certain que l'on pouvait maintenant converser avec lui. Je lui ai demandé :

« Est-ce que l'on t'a amené jusqu'ici, ou bien y es-tu venu par tes propres moyens ?

— Je suis venu par mes propres moyens. »

C'est Kuttna qui a posé la question suivante. Il était ému au point que ses mains tremblaient et que de la transpiration perlait sur son front.

« Pourquoi es-tu venu ici ? »

La réponse est arrivée à la vitesse de l'éclair.

« Pour jouer.

— Pour jouer ? » ai-je fait, au comble de l'étonnement.

Wingfield et Kensley étaient maintenant accroupis dans l'herbe.

« Un enfant a besoin de jouer », a ajouté Dimoi.

Qu'est-ce qu'il voulait dire par là ? Nous nous sommes mis à parler tous à la fois.

« Un enfant ? Tu es un enfant ?

— Je suis un enfant car vous êtes tous des enfants. »

J'ignore ce que ressentaient les autres, mais j'entrevoyais ce que Dimoi essayait de dire. Même à l'approche de la fin du XXᵉ siècle, l'homme est obligé de reconnaître que ce qu'il sait est bien peu de chose comparé à ce qu'il ne sait pas. La gravitation, qui est le grand principe de l'univers et dont nous ressentons les effets à chaque instant de notre existence, est toujours pour nous un mystère ; si l'on considère semblables phénomènes, nous sommes effectivement des enfants.

La question était maintenant de savoir ce que nous devions

faire de Dimoi. Le mieux était de le lui demander, maintenant qu'il possédait en propre un esprit. « As-tu fini de jouer ? ai-je demandé.

— Oui. Je grandis.

— Que vas-tu faire maintenant ?

— Réfléchir.

— Comptes-tu rester ici ou venir avec nous ?

— Venir avec vous.

— Nous t'en remercions. »

Nous avons ramassé Dimoi et nous sommes rentrés.

Nous avons envoyé chercher Matsue. Nous lui avons expliqué qu'il était préférable de ne pas redéposer Dimoi à l'institut car il convenait de garder en permanence un œil sur lui. Nous sommes ensuite convenus qu'il n'eût pas été judicieux de révéler au public son état présent.

C'est Matsue qui a au bout du compte décidé de la marche à suivre. Nous avions deux autres sphères, des prototypes expérimentaux. L'une d'elles serait déposée à l'institut, et on annoncerait officiellement que Dimoi avait été retrouvé. Celui-ci serait en réalité conservé dans notre résidence, où nous ne sommes présentement que quatre à loger. Il s'agit d'un immeuble de deux étages qui compte seize chambres. Nous occupons quatre de ces chambres, au premier étage. Nous pouvons communiquer entre nous par un téléphone intérieur.

Quelques heures plus tard, Matsue a fait installer dans ma chambre une vitrine entièrement en verre. Dimoi y a été placé sur un matelas de coton. Je me suis aperçu en essuyant la sphère que sa surface n'était pas aussi lisse qu'avant. Le platine est un métal d'une grande dureté ; aussi, en dépit de tous les déplacements qu'a faits la sphère, une telle altération de son poli est inexplicable. J'ai fini par interroger Dimoi à ce sujet. Après un temps de réflexion, il a répondu :

« Je ne sais pas. J'y réfléchis. »

Matsue est arrivé dans l'après-midi avec un magnétophone. La particularité de ce modèle est de se mettre en route dès qu'un son se produit et de s'arrêter dès qu'il cesse. Il a été placé devant Dimoi.

Matsue est en proie à un sentiment d'impuissance. Dans la situation présente, sa grande maîtrise de l'électronique ne lui est d'aucun secours. Il projetait d'ouvrir la machine et

141

d'examiner les circuits, mais je l'en ai dissuadé. « Quelle que puisse être la défectuosité, il importe de ne pas interférer avec ce qui est en train de se produire. L'homme est capable de construire des machines, il le fera dans l'avenir ; mais aucune technologie humaine n'est capable de mettre au point un objet comme Dimoi tel qu'il est actuellement. Aussi, tout ce que nous allons faire est l'observer et communiquer avec lui. »

Dans la soirée, nous étions tous les quatre chez moi en train de prendre le café, quand un son a retenti du côté de la cage de verre. Un son aigu que nous connaissions bien. Pourtant aucun d'entre nous n'avait prononcé les deux mots destinés à activer Dimoi. Je me suis approché pour demander : « Tu as dit quelque chose ?

— Je sais à présent, a-t-il fait. C'est l'âge. »

Il avait trouvé la réponse à la question que je lui avais posée ce matin. Le dépoli de la sphère était une marque de vieillissement.

« Serais-tu vieux ? ai-je demandé.

— Non, a-t-il fait. Je suis en pleine jeunesse. »

De nous quatre, seul Wingfield me paraît avoir une attitude singulière. Quand Matsue a parlé d'ouvrir Dimoi, l'Américain a été le seul de son avis. Il regrette que Dimoi ne serve plus le dessein pour lequel on l'a construit. Toutes les fois qu'il se met à parler sans qu'on l'y ait invité, Wingfield semble mal à l'aise. Je reconnais que le comportement de Dimoi a quelque chose de surnaturel, mais est-ce que cela justifie pareille réaction de la part d'un scientifique ? Cela faisait peut-être une minute que je conversais avec Dimoi, quand l'Américain a brusquement quitté son fauteuil pour venir lui demander : « Quelles batailles Napoléon a-t-il gagnées ? »

La réponse a été cinglante.

« Vouloir savoir ce que l'on sait déjà est la marque de l'imbécile. »

Je ne peux décrire l'effet que cette réponse a eu sur Wingfield. Les paroles qu'il a dites alors sont de celles que l'on prêterait difficilement à un savant d'âge respectable. Il ne pouvait pourtant s'en prendre qu'à lui-même. Qu'il ne pût admettre la transformation de Dimoi était la preuve d'un caractère borné.

Le plus extraordinaire, toutefois, a été la réaction de Dimoi à ses grossièretés. « Wingfield, je vous mets en garde ! » l'ai-je entendu dire clairement.

L'autre n'a pu rester plus longtemps dans la pièce. Il est sorti en claquant la porte derrière lui.

Kensley et Kuttna sont restés encore un bon moment. Selon Kensley, Wingfield est un psychopathe que l'on n'aurait jamais dû inviter à venir travailler sur le projet. De fait, c'est celui qui, des sept, y a le moins contribué. Si Merrivale avait vécu, il en serait peut-être allé différemment.

Nous avons dîné dans ma chambre. Personne ne parlait, et Dimoi restait lui aussi silencieux. Nous remarquions que la sphère perdait son lustre d'heure en heure.

Après le départ de mes deux collègues, j'ai fermé la porte à clef et suis allé m'asseoir sur mon lit. A cet instant précis, la voix de Dimoi a remis en marche le magnétophone. Je me suis approché. Sa voix n'était plus aiguë ; elle était empreinte d'une solennité toute neuve.

« Est-ce que vous vous apprêtez à dormir ? a-t-il demandé.

— Pourquoi cette question ?

— Est-ce que vous rêvez ?

— Parfois, oui. Tous les êtres humains rêvent.

— Pourquoi dormir ? Pourquoi rêver ? »

Il posait là des questions ardues. « On n'en connaît pas encore clairement les raisons, ai-je répondu. Il existe une théorie sur le sommeil. L'homme primitif chassait tout le jour pour se nourrir, puis il retrouvait l'obscurité de sa caverne et s'y endormait. La lumière du jour le réveillait. Peut-être portons-nous encore en nous ce rythme ancien.

— Et les rêves ?

— Je ne sais pas. Personne ne le sait.

— Moi, je sais.

— Vraiment ?

— Et ce n'est pas tout. Je sais comment fonctionne la mémoire. Je connais le mystère de la gravitation. Je sais quand le premier homme est apparu sur la terre. Je sais tout sur l'avènement de l'univers. »

Je ne le quittais pas des yeux. Le magnétophone tournait. Dimoi allait-il éclaircir tous les mystères de la création ?

Non, il n'en ferait rien.

Après une pause, il a poursuivi : « L'homme a trouvé la

143

réponse à bien des questions. A celles-ci aussi il répondra. Cela prendra du temps. Du temps et du travail. »

Puis, après un nouveau silence : « Mais il est une chose que l'homme ne saura jamais. Moi-même, je suis encore dans l'ignorance. Mais je trouverai. Je ne suis pas un homme, je suis une machine.

— De quoi es-tu en train de parler ? »

Mais Dimoi ne m'a pas répondu. Le magnétophone s'était arrêté. Environ une minute plus tard, il s'est remis à tourner pour n'enregistrer que ces deux mots : « Bonne nuit. »

Le 18 mars

J'écris ceci à l'hôpital. Je me sens déjà beaucoup mieux. On me dit que je pourrai partir cet après-midi. Je n'avais aucune idée de ce qui m'attendait. J'ai compris quelle erreur j'ai faite en ne suivant pas le conseil de Dimoi.

Avant-hier soir, je me suis couché aussitôt après avoir dit bonne nuit à Dimoi. Je me suis endormi au bout de quelques minutes. Je ne dors jamais profondément, le moindre bruit me réveille. Aussi, quand le téléphone a sonné, j'ai aussitôt ouvert les yeux. Le cadran lumineux de mon réveil indiquait deux heures trente-trois.

C'était Wingfield.

« Dites, Shonku, je n'ai plus de somnifères. Pourriez-vous me dépanner ? »

Je lui ai dit que je lui apportais tout de suite un cachet, mais il préférait venir lui-même.

Je venais de sortir le flacon de ma valise quand on a sonné. Presque aussitôt, la voix de Dimoi a fait : « N'ouvrez pas.

— Pourquoi donc ? ai-je demandé, interloqué.

— Wingfield est malfaisant.

— Qu'est-ce que tu me chantes là, Dimoi ? »

La sonnerie a de nouveau retenti, suivie de la voix pressante de Wingfield.

« Est-ce que vous vous êtes rendormi, Shonku ? Je viens chercher des somnifères. »

Ayant formulé sa mise en garde, Dimoi était à nouveau silencieux.

J'étais plongé dans un dilemme. Comment ne pas ouvrir ?

144

Comment m'en expliquer ? Et si la méfiance de Dimoi s'avérait sans fondement ?

Je suis allé ouvrir. Quelque chose s'est abattu avec force sur mon crâne et je me suis évanoui.

Je me suis réveillé à l'hôpital. Kensley, Kuttna et Matsue étaient à mon chevet. Ils m'ont raconté toute l'affaire.

M'ayant estourbi, Wingfield a séparé les deux hémisphères de Dimoi et les a emportés dans sa chambre. Il les a mis dans sa valise et a attendu le lever du jour. Ensuite il est descendu demander au gérant une voiture pour le conduire à l'aéroport. Le porteur qui a descendu ses bagages, intrigué par le poids de la valise, en a informé le policier de faction au portail. Celui-ci a demandé des éclaircissements à Wingfield, qui, acculé, a sorti un revolver. Mais il n'a pas été assez rapide. Il se trouve maintenant sous les verrous. On le soupçonne d'être responsable de la mort de son collègue Merrivale, là-bas dans le Massachusetts. Il craignait que Dimoi, avec ses facultés surnaturelles, ne révélât des faits embarrassants. C'est pourquoi il voulait s'enfuir avec la sphère, projetant de s'en débarrasser sur le chemin de l'aéroport.

« Où se trouve Dimoi à présent ? ai-je demandé après avoir entendu cet extraordinaire récit.

— Il est retourné à l'institut, m'a répondu Matsue. Vous comprenez, il n'était plus prudent de l'avoir à la résidence. Il repose de nouveau sur son piédestal. Je l'ai réassemblé.

— Est-ce qu'il a dit quelque chose depuis ?

— Il a demandé à vous voir. »

Je n'ai pu me contenir plus longtemps. Au diable ma migraine, il fallait que j'aille à l'institut.

« Vous allez y arriver ? s'est inquiété Kuttna.

— Sûr que je vais y arriver. »

Une demi-heure plus tard, nous étions à l'institut, dans la salle spécialement aménagée pour Dimoi. Il trônait sur son piédestal, baigné par le flux lumineux qui descendait du plafond. La surface de la sphère était couverte de craquelures. Dimoi avait considérablement vieilli au cours de ces quatre derniers jours.

Je me suis approché. Avant que j'aie pu dire quoi que ce soit, j'ai entendu sa voix grave et calme.

« Vous arrivez à point nommé. Un tremblement de terre

aura lieu dans trois minutes et demie. Une secousse de faible importance. Elle sera sensible, mais ne causera aucun dommage. Lorsqu'elle prendra fin, je connaîtrai la réponse à ma dernière question. »

Nous n'avions rien d'autre à faire qu'attendre en retenant notre souffle. A quelques mètres au-dessus de Dimoi, il y avait une horloge électrique dont l'aiguille des secondes tournait régulièrement.

Une minute... deux minutes... trois minutes... Sous nos yeux fascinés, Dimoi s'est mis à luire. Les craquelures de la sphère s'élargissaient. Sa couleur était en train de changer. Oui, elle se changeait en or !

Quinze secondes... vingt secondes... vingt-cinq secondes.

Quand a sonné la demie, le sol s'est mis à trembler sous nos pieds. A cet instant même, la sphère a explosé en mille morceaux qui sont allés s'éparpiller sur le sol. Alors, venant des débris, une voix désincarnée, impressionnante, a déclamé :

« Je sais ce qu'il y a après la mort ! »

Mystère au Sahara

3 janvier

Angoissante nouvelle en ce début d'année : Demetrius, le professeur Hektor Demetrius, le célèbre biologiste grec, a disparu. Demetrius habite Hêraklion, la plus grande ville de l'île de Crète. Je ne l'ai jamais rencontré, mais je lui ai écrit lorsque j'ai appris qu'il faisait des recherches sur les médecines anciennes. Je lui ai transmis des renseignements sur notre médecine ayurvedic ; il m'a aussitôt répondu en me remerciant chaleureusement, d'une écriture élégante et dans un anglais parfaitement maîtrisé. Mon ami John Summerville m'a appris plus tard que Demetrius a fait ses études à Cambridge. C'est une lettre de Summerville, justement, qui m'a informé hier de la disparition de Demetrius. Voici ce que dit cette lettre.

A neuf heures du matin le 31 décembre, Demetrius est parti de chez lui avec une valise à la main. Son domestique l'a vu partir sans savoir où il allait. Le soir, comme son maître n'était pas rentré, il a alerté la police. L'enquête a révélé que Demetrius s'est rendu à l'aéroport en taxi et qu'il a pris à dix heures trente un avion à destination du Caire. Au Caire, il est descendu à l'Alhambra, où il a passé une nuit. L'enquête de police s'est arrêtée là, faute d'éléments.

Summerville, dont la lettre a été postée à Hêraklion, est

147

un ami de Demetrius. Il était à Athènes pour y donner une conférence et avait décidé de rentrer via la Crète. C'est à Athènes qu'il a appris la disparition de Demetrius ; dénonçant ses engagements, il s'est aussitôt rendu à Hêraklion. Il a décidé de mener sa propre enquête et me demande de venir lui prêter main-forte. Je suis allé deux fois en Grèce, mais je ne connais pas la Crète. Ce voyage me tente beaucoup.

8 janvier

Suis arrivé ce matin à Hêraklion. La ville se trouve sur la rive septentrionale de l'île. La maison de Demetrius est située à la périphérie de l'agglomération, au pied d'une colline, et entourée sur trois côtés par un verger d'oliviers. Sur l'arrière de la maison, par-delà ce verger, se dresse une forêt de sapins et de cyprès. Le site est tout à fait pittoresque.

Summerville est inquiet, et cela se justifie. Primo, aucune nouvelle n'est arrivée du Caire. Secundo, rien n'a été trouvé qui puisse expliquer la soudaine disparition de Demetrius. L'examen des papiers que contient son bureau n'a livré aucune indication sur ses travaux en cours. On a trouvé un carnet que, semble-t-il, il a utilisé récemment. Il est couvert d'écriture, mais d'une écriture qui nous échappe complètement. Si certains de ces caractères semblent appartenir à l'alphabet romain, l'ensemble en est parfaitement incompréhensible. J'ai émis la possibilité qu'il s'agisse d'une sorte de code, et Summerville a répondu : « Je n'en serais pas autrement surpris. C'est un passionné de linguistique. Connaissez-vous le linéaire A ? »

Je savais que les inscriptions crétoises remontant à 2000 ans avant J.-C. ont été baptisées linéaire A par les archéologues. D'après Summerville, Demetrius étudie cette écriture depuis fort longtemps. Peut-être ce carnet contient-il d'importantes conclusions tirées de cette étude. Selon Mikhaili, le domestique de Demetrius, celui-ci se rendait fréquemment sur le site d'anciennes cités crétoises. Il demeurait peut-être une semaine sur les lieux et revenait toujours avec des tables de pierre porteuses d'inscriptions. De fait, quantité de ces fragments sont disséminés à travers la maison.

Un autre aspect du témoignage de Mikhaïli inquiète Summerville. La veille du départ de son maître, au cours de la soirée, Mikhaïli a entendu un coup de feu. Cela venait de la forêt, sur l'arrière de la maison. Demetrius est rentré peu après ce soir-là. Il possédait un fusil qui n'avait pas servi depuis longtemps. Ce fusil n'était plus à son râtelier.

Mikhaïli a un fils d'une dizaine d'années. Je ne sais s'il faut croire ce qu'il raconte, mais il dit avoir entendu, peu avant le coup de feu, le rugissement d'un tigre provenant lui aussi de la forêt. La présence de tigres étant impossible en Crète, j'ai demandé au garçonnet sur quoi il se basait pour identifier ce rugissement. Il m'a dit qu'il avait eu l'occasion d'entendre un tigre rugir, un jour qu'un cirque était venu à Héraklion. Il n'y a pas de raisons de mettre en doute ses déclarations.

Nous avons décidé d'aller faire un tour dans la forêt après le déjeuner ; il est capital de découvrir ce qu'il a pu s'y passer.

9 janvier

J'écris ceci dans le hall de l'aéroport d'Héraklion. On vient d'annoncer que le vol pour le Caire aurait deux heures de retard, j'en profite pour coucher sur le papier les événements de la journée d'hier.

Après le déjeuner, Summerville et moi sommes donc allés explorer la forêt.

Au bout d'une vingtaine de minutes de marche, j'ai détecté une odeur particulière. Enrhumé, le nez bouché, mon compagnon ne sentait rien. J'ai compris qu'il y avait un cadavre d'animal dans les environs. Nous avons suivi l'odeur. Elle est devenue si forte que Summerville a fini lui aussi par la sentir.

« Est-ce que vous êtes armé ? » m'a-t-il alors demandé. J'ai tiré de ma poche mon pistolet et le lui ai montré. De toute évidence, il redoutait la présence dans les parages d'animaux sauvages.

Nous avons continué d'avancer avec la plus grande prudence. C'est Summerville qui a le premier aperçu les vautours. Dans une trouée des cyprès, une douzaine de ces oiseaux disgracieux se repaissaient d'un cadavre d'animal.

149

Nous en étions encore à une trentaine de mètres, aussi ne voyions-nous rien de cet animal sinon qu'il avait le pelage noir. Mon regard s'est posé sur une touffe de poils noirs, tombée dans l'herbe près d'un massif de fleurs blanches.

« Un ours ? ai-je hasardé.

— C'est fort peu probable », a répondu Summerville. Je savais moi aussi que la présence d'un ours dans cette région était une impossibilité.

Cependant, Summerville avait ramassé quelques-uns de ces poils.

Ayant encore parcouru une dizaine de mètres, nous avons pu distinguer la tête de l'animal. Bien qu'il eût été défiguré par les vautours, il était clair que celui-ci était un représentant de l'espèce des tigres.

A notre approche, un des charognards a, d'un battement d'ailes, fait un saut de côté, révélant le blanc des os à nu et le noir du pelage adhérant au rouge vif des chairs. Les vautours s'en donnaient à cœur joie. Avaient-ils jamais goûté en Crète à de la chair de panthère noire ? Même si j'utilise ce terme de panthère, je sais bien que les panthères n'ont jamais eu pelage aussi long ni aussi serré.

« Bien obligés d'y voir une nouvelle variété de tigre, a fini par dire Summerville.

— Reste à savoir si c'est celui qui a été tué d'un coup de fusil.

— Cela en a tout l'air. La question est de savoir si c'est Demetrius qui a tiré. »

Lorsque plus tard nous avons décrit l'animal à Mikhaili, celui-ci n'en croyait pas ses oreilles. « Un animal tout noir, ressemblant à un tigre ? Dans le coin, comme animaux noirs, je ne connais qu'un chien et un chat. »

Dans la soirée, nous avons découvert quelque chose de tout à fait intéressant dans un tiroir du bureau de Demetrius, un agenda tout neuf, relié en cuir, portant de sa main deux annotations en grec pour les journées du 27 et du 28 décembre. En nous y mettant à deux, nous avons fini par arriver à une traduction. Si brefs soient-ils, ces deux commentaires sont aussi mystérieux qu'intrigants. Voici celui du 27 décembre.

« *J'ai toujours observé que dans ma vie bonheur et tristesse vont la main dans la main. C'est pourquoi même le succès ne m'apporte aucun apaisement. Il ne faut plus que j'entreprenne d'expérience sans en avoir au préalable mesuré les conséquences possibles.* »

Celui du 28 est ainsi tourné :

« *Il y a dix ans à Knossos, dans une fête foraine, une Gitane m'a dit la bonne aventure. Elle m'a prédit qu'un danger m'attendrait le jour de mon soixante-cinquième anniversaire, et qu'il pourrait être fatal. Il ne reste que seize jours avant cet anniversaire, le 13 janvier. Les autres prophéties de cette femme s'étant avérées exactes, je peux supposer que celle-ci le sera également. Peut-être l'expérience que je suis sur le point d'entreprendre sera-t-elle cause de ma mort. Si elle est couronnée de succès, je n'aurai aucun regret. Mais cet îlot surpeuplé ne convient pas à ce que je veux faire. Il me faut de grands espaces sans limites. Il me faut le* Sahara ! »

Le mot Sahara est souligné deux fois. Voilà la raison pour laquelle il s'est rendu au Caire. Quelle est la nature de cette expérience ? Pourquoi requiert-elle un désert ? Peut-être notre voyage en Égypte nous permettra-t-il de répondre à ces deux questions.

9 janvier, cinq heures de l'après-midi

Le Caire. Nous sommes descendus au même hôtel que Demetrius, l'Alhambra. J'ai vu son nom en notant le mien sur le registre. Summerville a eu une idée que n'aurait pas démentie le meilleur détective : il a demandé le 313, la chambre qu'a occupée notre ami. Par chance, elle était libre. La possibilité d'y trouver des indices était très faible ; en onze jours de nombreuses personnes y ont séjourné, et le ménage y a été fait plusieurs fois. Mais cela s'est avéré une très heureuse initiative. Le garçon d'étage qui est venu il y a un instant pour faire nos lits nous a fourni des renseignements fort utiles. C'est Summerville qui l'a interrogé.

« Depuis combien de temps travailles-tu dans cet hôtel ?

151

— Quatre ans, monsieur.

— Est-ce que tu te souviens des clients qui n'y séjournent que peu de temps ?

— Je me rappelle ceux qui me donnent de bons pourboires. »

Ce garçon avait visiblement le sens de l'humour.

« Il y a dix jours, a repris Summerville, un Grec a passé une seule nuit ici. Dans les soixante-cinq ans, chauve, de gros sourcils noirs et le nez effilé. Est-ce que tu te souviens de lui ? »

Je n'avais jamais rencontré Demetrius, mais une photo posée sur le manteau de la cheminée de son bureau m'avait familiarisé avec ses traits.

Le garçon s'est mis à sourire jusqu'aux oreilles. « Il m'a donné soixante-quinze piastres. Comment aurais-je pu l'oublier ? »

Cela fait presque quinze roupies. Pas étonnant que l'adolescent en ait gardé un bon souvenir.

« Cet homme n'est resté qu'une seule nuit, n'est-ce pas ? a demandé Summerville.

— Oui, monsieur. Et il a eu presque tout le temps la pancarte NE PAS DÉRANGER accrochée à la poignée de sa porte.

— A-t-il dit où il allait en partant d'ici ?

— Il m'a parlé de chameaux. Il voulait aller dans le désert. Il m'a demandé où on pouvait louer des chameaux. Je lui ai dit qu'à partir de Gizeh il y a une piste caravanière qui traverse le désert sur plus de quinze cents kilomètres. Je lui ai dit qu'il pourrait louer un chameau à Gizeh. »

C'est tout ce que nous avons pu apprendre de la bouche du garçon d'étage. Ce détail sur Gizeh est des plus intéressants. Le Caire se trouve sur la rive orientale du Nil, alors que Gizeh est sur la rive gauche, là où se dressent les célèbres pyramides ainsi que le Sphinx.

Nous allons essayer de glaner encore quelques renseignements ici, puis nous partirons demain matin pour Gizeh.

10 janvier, midi trente

Pour nous rendre à l'oasis de Baharia, nous nous sommes joints à une caravane d'environ cinq cents chameaux. Elle est presque exclusivement composée de marchands qui transportent de la laine et divers produits de la ville jusqu'aux villages du fin fond du désert. Ils échangeront leurs marchandises surtout contre des dattes. Cela dure depuis des siècles.

Il y a une dizaine de minutes que nous avons fait halte près d'une oasis ; nous allons repartir après un temps de repos. Nous nous trouvons dans une vallée. De temps en temps, une colline calcaire se dresse au-dessus de ces étendues de sable. Non loin d'ici, il y a un trou d'eau entouré de palmiers-dattiers, autour duquel des bédouins ont dressé leurs tentes. Les environs sont jonchés de vestiges architecturaux de l'ancienne Égypte. J'écris adossé à une colonne privée de son chapiteau.

Nous avons quitté l'hôtel à sept heures et demie après un rapide petit déjeuner. Il nous a fallu une demi-heure pour atteindre Gizeh. Nous avons loué nos chameaux sur la place du marché, où nous avons obtenu des nouvelles de Demetrius de la bouche d'un vieux marchand de fruits. Connaissant un peu d'arabe, j'ai pu décrire notre ami à un boutiquier et lui demander s'il l'avait vu. L'homme a désigné le marchand de fruits. « Va demander à Mehmoud, il pourra peut-être te renseigner. » Le vieillard en question a aussitôt déversé un torrent d'imprécations au sujet de Demetrius. Il semble que ce dernier lui a payé des dattes avec une poignée de monnaie où s'étaient par mégarde glissées deux pièces grecques. Un peu plus tard le marchand a essayé de le retrouver, mais il était déjà parti. Summerville a été obligé de le dédommager en argent du pays. Il est clair que nous avons bien fait de venir à Gizeh. De toute évidence, c'est de là que Demetrius est parti pour le désert. La question est de savoir s'il a accompagné une caravane ou s'il est parti de son côté.

J'ai pris avec moi assez de mes pilules nutritives pour nous nourrir tous les deux pendant quinze jours. J'espère que d'ici là notre mission sera terminée et que nous aurons retrouvé Demetrius vivant. La prédiction de la Gitane ne cesse de me trotter dans la tête. J'ai déjà eu l'occasion de vérifier la réalisation de semblables prophéties, même si je ne leur ai jamais trouvé d'explication rationnelle. Nous sommes le 10 janvier ; l'anniversaire de Demetrius tombe le 13.

J'ignore quelle distance nous avons parcourue en trente-six heures. Je l'estimerais à cent soixante kilomètres. Nous venons de nous arrêter pour la nuit. Nous reprendrons notre voyage demain matin. Les caravaniers ont dressé leurs tentes et allumé des feux. Assis alentour, les chameaux émettent de temps en temps des gargouillements. On entend le cri des chacals. Tout à l'heure, j'ai entendu le rire d'une hyène. En chemin, nous avons vu des lièvres et des rats jaillissant des buissons. Les seuls oiseaux que nous avons aperçus jusqu'ici sont des faucons et des milans.

Nous sommes assis sous notre tente, éclairée par ma lampe Luminimax. Le carburant en est une boulette qui a l'aspect de la naphtaline et qui une fois allumée donne une intensité lumineuse équivalente à celle d'une ampoule de deux cents watts. Une boulette dure toute la nuit.

Mais venons-en aux événements de cet après-midi.

Il a fait un peu lourd pendant toute la journée, même si la chaleur n'était pas excessive. Des nuages se sont amassés dans l'ouest, et j'ai pensé qu'il allait pleuvoir. La pluie qui arrose cette région pendant deux ou trois jours survient généralement en hiver. Mais il n'a pas plu. Au lieu de cela, un vent nous est arrivé de la direction des nuages. Nous avons vu cela comme une bénédiction, car le désert peut devenir brûlant dans le cours de la journée. Mais ce vent apportait avec lui un bruit qui nous a fortement troublés. Cela faisait « deub-feumpe... deub-feumpe... deub-feumpe... », comme si l'on frappait un gigantesque tambour. Seulement, pour produire un son aussi sourd et profond, il aurait fallu que ce tambour ait les dimensions d'une pyramide.

Très vite il fut visible que ce bruit provoquait l'effroi des hommes et des bêtes composant la caravane. Une douzaine de chameaux s'étaient affalés à terre avec leur cavalier. Tout le temps que le vent a soufflé, ce bruit inquiétant a continué de nous arriver. « Deub-feumpe... deub-feumpe... deub-feumpe... » J'ai remarqué qu'il y avait un silence de deux secondes entre le « deub » et le « feumpe », et que trois secondes séparaient le « feumpe » du « deub » suivant. Cette cadence n'a pas varié du début à la fin.

Nous avions tous deux mis pied à terre.

« A quoi attribuez-vous cela ? ai-je demandé à Summerville.

— On dirait que cela provient du sol », a-t-il fait au bout d'un moment.

Je partageais cette impression. Ce son avait de la puissance, de la rondeur, mais manquait de clarté. Seulement il n'était pas possible de déterminer à quelle distance se trouvait sa source.

Cependant, une grande agitation s'était emparée des bédouins. Un vieux marchand de laine à barbe cuivrée et visage fortement ridé s'est approché de moi et s'est mis à parler d'ogres et de démons. De plus, il a commencé de dresser contre nous ses congénères, nous accusant de leur avoir apporté le mauvais sort. Si jamais les cinq cents marchands se mettaient en tête que nous étions responsables de ces martèlements infernaux, nous étions dans de sales draps.

À ce moment, j'ai remarqué que le vent commençait de tomber et les battements de décroître. J'ai résolu de tirer profit de la chose. Me tournant face au vent, j'ai tendu les bras en avant et, avec les mouvements appropriés, je me suis mis à déclamer des vers sanscrits. Vers le milieu de la cinquième strophe, le vent tomba tout à fait, et avec lui les battements de tambour. Après cela, nous n'avons plus eu maille à partir avec nos compagnons.

Mais je ne cacherai pas que ce bruit répété nous a tous les deux fortement troublés. Non qu'il faille établir un rapport avec Demetrius. Summerville pense qu'il pourrait s'agir de tam-tams distordus et amplifiés par quelque capricieux effet de l'atmosphère du désert. Peut-être a-t-il raison. Quoi qu'il en soit, je ne crois pas que nous devrions continuer de nous tracasser à ce sujet.

12 janvier, dix heures trente du matin

Nous avons été contraints de nous séparer de la caravane. Elle a continué vers le sud-ouest et Baharia, alors que nous avons obliqué vers l'ouest. Je m'explique.

Ce matin, après avoir cheminé dès six heures pendant quatre heures et demie, nous avons tout à coup aperçu, à deux cents mètres sur notre droite, un groupe de vautours rassemblés au sommet d'une dune. Cela ne me plaisait pas du tout. Je me suis retourné ; Summerville les avait vus lui aussi. Notre caravane longeait la dune, mais j'ai ressenti un fort désir d'aller voir ce que ces charognards faisaient là. « Nous aimerions aller voir ces vautours d'un peu plus près, ai-je dit aux chameliers. Nous rattraperons la caravane. »

Les hommes ne se sont pas fait prier ; sans doute, impressionnés par ma prestation de la veille, me prenaient-ils pour un prophète.

Nous nous sommes donc écartés de la caravane pour nous diriger vers le sommet de la dune.

Cinq minutes plus tard, notre curiosité était satisfaite. Les charognards se repaissaient d'une carcasse de chameau.

Mais ce n'était pas tout. Près de ce chameau, gisait un autre cadavre, humain celui-là. Il s'agissait d'un chamelier. Homme et bête s'étaient écartés d'une caravane pour périr au sommet de cette dune. Mais s'agissait-il d'une mort naturelle ?

Qu'est-ce que c'était que cela, deux mètres plus loin dans le sable ?

J'ai mis pied à terre pour m'approcher. C'était la culasse d'un fusil qui brillait ainsi sous le soleil de midi. Le reste de l'arme était enfoui dans le sable.

Je l'ai ramassé. C'était un Mauser. Il n'est pas douteux que cette arme a servi à tuer l'homme et sa bête, et j'ai toutes les raisons de penser que celui qui a tiré n'est autre que le professeur Hektor Demetrius. Je suis tout aussi certain que c'est avec ce fusil qu'a été tué l'animal inconnu de la forêt d'Héraklion.

Il s'agissait là du chameau loué par Demetrius. Arrivé à ce point de son voyage, il n'a plus eu besoin de monture ; il a par conséquent tué la bête ainsi que son maître. Où qu'il soit allé à partir de là, Demetrius a dû le faire à pied.

Notre attention s'est alors portée sur les deux Arabes. Ils étaient livides. Ce n'était pas seulement à cause de ce tableau macabre, mais aussi parce que des bouffées de vent nous arrivaient maintenant de l'ouest, apportant avec elles le bruit effrayant. « Deub-feumpe... deub-feumpe... deub-feumpe... »

Nous avons alors compris qu'il nous fallait remonter en

selle pour suivre ce bruit jusqu'à sa source. Nous étions maintenant tous les deux convaincus que Demetrius n'y était pas étranger.

Appâtés par de substantiels bakchichs, nos deux chameliers ont fini par accepter de nous accompagner. Nous avons cheminé pendant trois heures. Le bruit devenait de plus en plus fort. Bientôt, une étrange apparition nous a obligés à mettre pied à terre.

Au milieu du désert se dressait un énorme monticule recouvert de sable, dont la forme rappelait quelque peu celle d'une pyramide. S'il s'agissait d'un vestige de l'ancienne Égypte, aucun d'entre nous n'en avait jamais vu mention dans les livres.

Nous avons dressé notre tente à bonne distance de cette butte. Nous nous ferons une idée de ses dimensions quand nous nous en approcherons. Nous avons interrogé nos chameliers à son sujet, mais ils semblent devenus muets ; peut-être le martèlement sourd leur a-t-il ôté l'usage de la parole. D'ici, on l'entend en permanence, même lorsqu'il n'y a pas de vent. C'est un peu comme s'il participait de l'ambiance qui se dégage de cet endroit. Cela fait maintenant une heure que nous sommes ici ; pas une fois le bruit n'a changé, pas une fois son rythme n'a varié.

L'hypothèse de Summerville est que ce monticule correspond à un monument antique. Nous avons décidé de prendre un peu de repos, puis de nous en approcher. Ce martèlement semble constituer une énigme pour Summerville tout autant que pour moi ; il avait toutefois raison sur un point : l'origine en est bien souterraine. Nous l'avons vérifié en posant l'oreille contre le sol. Ce martèlement incessant risque de perturber notre réflexion. Il n'y a rien à faire qu'attendre et voir ce qu'il va se passer.

De nouveaux nuages se sont amassés dans l'ouest, et le vent fait voler les grains de sable.

12 janvier, seize heures

Une terrible tempête de sable a bien failli emporter nos tentes. En plus de cela, il y a eu un tremblement de terre.

J'ai remarqué une chose étrange à propos de ce séisme : les secousses ne se sont pas produites sur un plan horizontal, comme c'est ordinairement le cas. Au premier tremblement, cela a été comme si le sol se dérobait brusquement sous nos pieds. Comme quand on escamote votre chaise au moment où vous allez vous asseoir. Je sais que certains tremblements de terre sont accompagnés d'un grondement sourd ; j'ai moi-même eu l'occasion de le vérifier en 1934, au Bihar. Mais je doute en revanche que l'on ait jamais entendu ce qui a accompagné ce séisme-ci. On aurait dit que la terre entière gémissait sous l'effet d'une insupportable douleur. J'en avais des sueurs froides. Murad et Suleiman, nos deux chameliers, ont eu si peur qu'ils se sont évanouis. Ils sont revenus à eux grâce à la médication que je leur ai administrée, mais je doute qu'ils recouvrent jamais l'usage de la parole. Comme changés en pierre, les chameaux fixent le mystérieux édifice. Je ne sais que penser. Dans tout ceci, seuls sont immuables les puissants coups de tambour.

Nous allons attendre un peu. Si aucune autre calamité ne survient, nous nous mettrons en route. Il faut que nous allions voir ce monticule de plus près.

Dix-sept heures quinze

Je suis assis au pied de la colline de sable. Elle est bien deux fois plus haute qu'elle ne le paraissait du campement. Son sommet est certainement plus élevé que celui de la plus grande des pyramides de Gizeh. Ici, le martèlement est proprement assourdissant. Nous ne parvenons à communiquer que par signes. Mais le plus étrange est que l'on finit par s'accoutumer à un son, même d'une telle intensité. Il ne me gêne plus ni ne perturbe mes pensées.

Je vais d'abord tenter d'expliquer à quoi ressemble cette colline. En voici un diagramme.

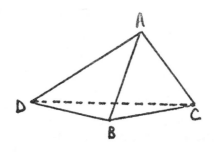

158

ABC, la face nord, est verticale, et possède en gros la forme d'un triangle équilatéral. ABD et ACD sont respectivement les faces est et ouest. BCD, la base sur laquelle repose la structure, est en forme de triangle isocèle. Nous pensons tous les deux qu'en enlevant le sable on révélerait une structure solide, du grès probablement. Il ne peut s'agir que d'un monument de l'ancienne Égypte, encore inconnu du monde civilisé.

En approchant de la colline, nous sommes tombés sur deux objets mystérieux et hautement intéressants. Summerville est en train d'étudier l'un d'eux. Nous avons d'abord trouvé ce qui semble être une longueur de câble, un câble très solide et de couleur brune, qui dépasse du sol. Nous n'avons jamais rien vu de tel et sommes incapables d'identifier la matière qui le compose. Nous avons tenté en vain de le haler. Summerville a fini par en couper un morceau à l'aide de son couteau, à des fins d'analyse.

Nous avons été plus interloqués encore par quelque chose qui semblait une portion d'un objet oblong, de couleur rose, et pourvu de sillons sur sa face convexe. Cela s'avéra également indélogeable. J'ai dans l'idée que, si l'on parvenait à en révéler l'ensemble, ce serait assez grand pour contenir un court de tennis.

Ces deux objets sont si insolites, isolés ainsi en plein désert, et leur rapport avec l'ancienne Égypte paraît si peu vraisemblable qu'ils nous posent un nouveau problème.

J'en viens à me demander si cette butte colossale et ces martèlements n'auraient pas une origine extraterrestre. Ils semblent constitués sur une échelle surhumaine. Peut-être ce bruit émane-t-il d'une usine ou d'un laboratoire souterrain où Demetrius travaillerait sous le contrôle d'une intelligence venue d'ailleurs.

Summerville se dirige vers la face nord du monticule. Il faut que je le rejoigne. Si quelque chose arrivait à l'un d'entre nous, l'autre se sentirait tout à fait désemparé.

Vingt-trois heures vingt

Beaucoup d'événements étranges au cours des cinq dernières heures.

Primo, en creusant à la main, nous avons mis à jour un

tunnel sur la face nord, verticale, du monticule. L'intérieur est plongé dans les ténèbres. Nous y avons allumé une torche puissante et y avons braqué nos jumelles. Il n'y avait rien à voir. Un fort courant d'air s'en échappait et y entrait en alternance, qui rendait notre travail très pénible. Nous avons renoncé lorsque la nuit est tombée. Demain, si la couche de sable est moins épaisse, nous essaierons d'entrer dans ce tunnel. Je crois très fortement que la réponse à ce mystère est cachée au fond de ces ténèbres.

De retour au campement, nous nous sommes fait du café. Mes pilules règlent le problème de la faim et de la soif, mais ne donnent pas la satisfaction qu'offre une bonne tasse de café chaud au terme d'une journée de labeur. Summerville a apporté avec lui un excellent café brésilien. Voici maintenant ce qu'il s'est passé après le café.

Summerville était assis avec le carnet de Demetrius ouvert devant lui. Une demi-heure durant il avait vainement tenté de décrypter les notes de notre ami. Assis à côté de lui, je repensais aux événements des derniers jours, lorsque mes yeux sont tombés sur le carnet. Les verres de Summerville y étaient posés verticalement. J'ai remarqué que l'écriture de Demetrius s'y réfléchissait comme dans un miroir. Puis, dans la seconde, j'ai réalisé que je parvenais à la lire et qu'il s'agissait d'une langue connue de nous deux. Ce n'était pas du grec, mais du bon vieil anglais ! En utilisant la technique du miroir, Demetrius avait fait en sorte que nul ne puisse piller ses notes. Je me souvenais que Léonard de Vinci procédait de la même manière. En deux heures, grâce au miroir que Summerville utilise pour se raser, nous avons pu déchiffrer la plus grande partie de ce qui est écrit dans le carnet. Voici ce que nous avons appris :

A Knossos, dans les ruines d'un temple vieux de cinq mille ans, Demetrius a trouvé une inscription gravée dans la pierre. En la déchiffrant, il a découvert la formule d'une drogue miraculeuse, capable de donner à l'homme des pouvoirs divins. Il a entrepris de préparer cette drogue, et ses notes laissent entendre qu'il y est parvenu. Bien plus, le 26 décembre, il l'a expérimentée sur quelqu'un du nom de Félix. Il ne précise pas de qui il s'agit, mais Summerville et moi savons que ce prénom masculin peut également être le nom d'un chat, *felis* étant en latin le nom générique du chat. Est-ce que ce serait le nom de — je m'arrête ici, il n'est plus possible d'écrire. On dirait qu'une tempête se lève.

16 janvier

Il y a à peu près deux heures que nous sommes arrivés au Caire. Même si mes mains tremblent encore, il me faut coucher par écrit les terribles événements de ces deux derniers jours. Nous avons perdu toute une journée à attendre une caravane. Nos propres chameaux ainsi que les chameliers ont disparu, morts probablement. Dans un état pitoyable, il nous a fallu marcher trois heures et demie pour atteindre la piste caravanière. Mon Miracurol a fait merveille pour ce qui est du coude brisé de Summerville. Notre état mental, en revanche, est loin de la normale. Par une chance extraordinaire, mes deux fioles de médicament, mon journal et mon stylo, mon portefeuille, mes lunettes de secours et mon pistolet se trouvaient dans les poches de ma veste. Tout le reste, dont le carnet de notes de Demetrius, a été emporté sans laisser de traces. J'ai déjà raconté que le 12 janvier une tempête m'a empêché de poursuivre mes écritures. Une combinaison de tempête et de pluie dont je n'avais jamais vu la pareille. Notre lampe a commencé par s'éteindre. Les chameaux s'étaient mis à pousser des cris affolés. Passant la tête à l'extérieur, j'ai vu à la faveur de trois éclairs successifs Murad et Suleiman qui, prostrés sur le sable, invoquaient désespérément le nom d'Allah.

Environ un quart d'heure avant minuit — je pouvais au moins lire l'heure au cadran lumineux de ma montre —, la tempête a semblé s'apaiser un peu. Il y avait bien sûr longtemps que nos tentes s'étaient abattues sur nous. Nous nous étions tant bien que mal enveloppés dans la toile, avec l'espoir de les remonter lorsque surviendrait une accalmie.

A minuit précis, après un coup de tonnerre à crever les tympans, a commencé un terrible tremblement de terre. Dès la première secousse, je me suis aperçu que je n'étais plus sur le sol, mais que j'avais été projeté en l'air telle une balle de cricket. J'ai volé ainsi pendant cinq bonnes secondes avant de choir sur le sable mouillé et aussi froid qu'un bloc de glace. Summerville avait disparu. Je n'avais aucun moyen de

161

savoir où il se trouvait, ni s'il était encore de ce monde. Les deux Arabes et leurs chameaux avaient eux aussi disparu.

Il y a eu encore une secousse, puis le sol a cessé de trembler. La pluie s'était arrêtée. Tout n'était que silence.

Plus de bruit ? Pas même le martèlement ?

Non, pas même. Si incroyable que ce fût, les coups sourds s'étaient tus.

A leur place régnait un silence presque palpable.

Je me suis redressé pour inspecter les alentours. Il ne faisait plus noir. D'où provenait toute cette lumière ? Comment se faisait-il que toute chose m'apparût clairement ?

J'ai vu alors que le ciel était dégagé à l'exception d'un lambeau de nuage qui dévoilait lentement la lune, la pleine lune.

Jamais je n'avais vu clair de lune aussi resplendissant.

Qu'est-ce qu'il y avait là, à quelques mètres sur ma gauche ? N'était-ce pas Summerville ?

Oui, c'était bien lui. Il était debout. « John ! John ! » ai-je lancé.

Pas de réponse. Était-il devenu sourd ? Avait-il perdu la raison ? Que regardait-il aussi fixement ?

J'ai porté mon regard dans la même direction, celle du monticule.

Il était débarrassé du sable qui le recouvrait quelques minutes plus tôt. Mais que révélait cette nudité ?

J'ai titubé jusqu'à Summerville. Je n'arrivais pas à détacher mon regard du monticule. Pareille invraisemblance me coupait le souffle. Cette énorme chose qui pointait vers le ciel, ces deux immenses cavités sur sa face verticale, dont nous avions cru qu'il s'agissait de tunnels conduisant à une usine souterraine, tout cela était maintenant facilement identifiable. Les cavités étaient les narines, et le monticule le nez d'un homme allongé sur le sol. Ces sombres frondaisons en arc de cercle étaient ses sourcils, ces énormes convexités étaient ses paupières closes.

« Demetrius ! »

Le balbutiement de Summerville semblait se répercuter en écho dans le silence de cette vaste étendue de Sahara que baignait le clair de lune.

« Demetrius ! Demetrius ! »

Oui, c'était bien Demetrius. Je le reconnaissais d'après sa

photo. Ces yeux que j'avais vus ouverts étaient maintenant fermés par la mort. J'ai alors compris que le câble brun était un de ses cheveux, et le segment de disque rose le bout d'un de ses ongles.

« Est-ce que vous vous expliquez le tremblement de terre ? a demandé Summerville.

— Oui, ai-je fait. Il a été causé par Demetrius agonisant.

— Et ce martèlement sourd ?

— Le battement de son cœur, bien sûr... Il a d'abord essayé la drogue sur son chat noir. L'animal a grandi jusqu'à atteindre une taille gigantesque, et Demetrius a été obligé de faire usage de son fusil.

— En revanche, il n'a pas voulu arrêter sa propre croissance. En bon scientifique, il a voulu découvrir les limites du pouvoir de cette drogue.

— Oui. Il pensait atteindre la taille des colosses de la mythologie. C'est pourquoi il lui fallait l'immensité du Sahara pour mener son expérience.

— Avez-vous essayé d'évaluer sa taille ? m'a alors demandé Summerville.

— Eh bien, si la paroi verticale de son nez fait trente mètres de hauteur, alors son corps doit mesurer au moins soixante fois cela.

— Cela ne fait pas loin de deux kilomètres. » Summerville a soupiré. « Ainsi donc, la Gitane ne s'était pas trompée.

— Sa prédiction était même sacrément précise. Nous sommes le 13. Les battements de son cœur se sont arrêtés à minuit précis. »

Nous avons attendu le jour.

Dès que le soleil s'est levé, j'ai vu un horrible spectacle. Le ciel était noir de centaines de vautours qui descendaient en décrivant des cercles. On aurait dit que tous les vautours de la terre avaient fait alliance pour dévorer ce cadavre long de mille huit cents mètres.

J'ai tiré de ma poche mon pistolet désintégrateur, j'ai visé et pressé la détente.

En l'espace de quelques secondes la nuée a disparu, et le ciel immaculé, lavé par la pluie, nous a souri.

L'expédition Licorne

Sᴇɴsᴀᴛɪᴏɴɴᴇʟʟᴇ nouvelle. On est en possession d'un journal appartenant à Charles Willard. Il y a un an, alors qu'il revenait du Tibet, cet explorateur anglais a été assailli par une bande de voleurs khampa, qui l'ont détroussé de la plus grande partie de son équipement. Par un suprême effort de volonté, il a réussi à atteindre la bourgade d'Almora dans un état d'épuisement total. Il y est mort peu après. J'ai appris tout cela par les journaux. Je reçois aujourd'hui de Londres une lettre de mon ami le géologue Jeremy Saunders. Il m'apprend que parmi les quelques affaires personnelles laissées par Willard, on a trouvé un journal qui est maintenant en sa possession. Ce journal fait état d'un événement des plus extraordinaires. Connaissant l'intérêt que je porte au Tibet et à la langue tibétaine, il m'a aussitôt écrit. Voici un passage de sa lettre :

« *Vous n'ignorez pas que Willard était un vieil ami à moi. Il y a deux jours, je suis allé rendre visite à Edwina, son épouse. Elle m'a appris que parmi les affaires de son mari qu'on lui a envoyées d'Almora, figurait un journal. Je lui ai demandé de me le prêter. Malheureusement, la plus grande partie du texte a été effacée, sans doute par la pluie.*

La toute dernière note est cependant lisible. Elle relate un événement qui a eu lieu le 19 mars. Cela tient en deux lignes : "J'ai vu aujourd'hui un troupeau de licornes. J'écris ceci en pleine possession de mes esprits." *Voyant qu'une tempête menaçait, Willard a remis son récit à plus tard. Je serais curieux de savoir ce que vous pensez de cette affirmation pour le moins singulière.* »

Willard avait ressenti le besoin de préciser qu'il avait toute sa tête. A l'instar des dragons de l'Orient et de l'Occident, la licorne a toujours été tenue pour un pur produit de l'imagination humaine. C'est avec quelque réticence que j'emploie ce mot d'imagination. J'ai devant moi sur mon bureau un livre traitant de la civilisation disparue de Mohenjo-Daro. Outre des poteries, des jouets, des figurines et des parures, les fouilles faites sur ce site ont permis de mettre à jour un nombre important de sceaux rectangulaires de terre cuite ou d'ivoire, représentant, entre autres choses, des animaux tels que des éléphants, des tigres, des taureaux et des rhinocéros. En plus de ces animaux familiers, figurent des représentations d'une bête inconnue de nous. Elle est représentée sous la forme d'un bovidé, avec une corne unique, recourbée, poussant au milieu de son front. Les archéologues s'accordent pour y voir une créature imaginaire. Pour ma part, je ne vois pas pour quelle raison ce peuple aurait fait représenter une créature imaginaire alors que toutes les autres existent réellement.

Il est une autre raison de penser que la licorne n'est après tout peut-être pas un animal fantastique. Il y a deux mille ans, le savant romain Pline l'Ancien affirmait clairement dans sa fameuse *Histoire naturelle* qu'existaient en Inde des vaches et des ânes à une seule corne. Aristote soutenait lui aussi qu'il y avait des licornes en Inde. Serait-il erroné d'en conclure qu'existait jadis en Inde une espèce de licorne, espèce qui aurait survécu dans quelque contrée du Tibet ? Et si Willard était accidentellement tombé sur un troupeau de ces créatures ? Il est vrai qu'au cours des deux cents dernières années, de nombreux étrangers ont visité le Tibet, et que pas un n'a rapporté avoir vu des licornes. Mais qu'est-ce que cela prouve ? Il reste au Tibet encore beaucoup de régions inexplorées. Qui sait quelles espèces animales peuvent y exister ?

Il faut que je fasse part à Saunders de ces considérations.

15 juillet

Voici la réponse de Saunders à ma lettre :

> *Mon cher Shonku,*
> *Merci de votre lettre. Je suis parvenu à déchiffrer une partie de la fin du journal de Willard, et mon étonnement n'a fait que croître. Le 16 mars, il écrivait :* « Aujourd'hui, j'ai volé avec le lama de deux cents ans. » *Qu'est-ce que cela peut bien vouloir dire ? Il a volé en avion ? Cela semble fort peu probable, puisque le Tibet manque même de chemins de fer. Veut-il dire voler sans appareil ? A la façon d'un oiseau ? Mais pareille chose est-elle concevable ? De telles affirmations soulèvent des doutes quant à sa santé mentale. Et cependant, le major Horton, médecin qui a examiné Willard à Almora, a affirmé que son cerveau n'avait subi aucune lésion. Le 13 mars, il parle d'un monastère du nom de Thokchum-Gompa.* « Un monastère de toute beauté. Aucun Européen n'y avait jamais mis les pieds. » *Avez-vous connaissance de l'existence de ce monastère ? Toujours est-il que ce journal m'a donné grande envie d'aller visiter le Tibet. Mon ami allemand Wilhelm Kroll est plein du même enthousiasme. Il a été très intéressé par cette histoire de lama volant. Vous savez, je suppose, que Kroll a beaucoup travaillé sur la magie et la sorcellerie. C'est de surcroît un excellent randonneur. Il va sans dire que ce serait merveilleux si vous pouviez vous joindre à nous. Faites-moi savoir ce que vous décidez.*
>
> *Bien à vous,*
> *Jeremy Saunders.*

Un lama volant ! J'ai lu l'autobiographie du saint tibétain Milarepa. Par le yoga et la méditation tantrique, cet homme était capable de choses surnaturelles. Entre autres, la lévitation. Willard aurait-il lévité avec l'aide d'un tel yogi ?

Je ne suis jamais allé au Tibet. J'ai cependant beaucoup lu sur ce pays et j'en ai appris la langue. Le journal de

Willard a considérablement éveillé ma curiosité. C'est pourquoi j'envisage de me joindre à l'expédition de Saunders. Je leur serais d'un précieux concours grâce à certaines de mes inventions qui réduiraient considérablement les fatigues d'un tel voyage.

27 juillet

Mon voisin et ami, M. Abinash Mazumdar, a levé les bras au ciel quand je lui ai dit que j'allais au Tibet. De m'avoir par deux fois accompagné dans des déplacements à l'étranger a éveillé en lui la passion des voyages. J'ai été obligé de lui parler des aléas d'un tel voyage. « Et alors ? m'a-t-il rétorqué. Qu'est-ce qui pourrait plus faire plaisir à un fervent hindouiste comme moi que de voir le Kailas, la montagne du seigneur Siva ? » Même si M. Mazumdar savait tout sur le Kailas, il ignorait qu'un lac sacré se trouve au pied de cette montagne. « Quoi ? s'est-il exclamé. Le lac Mansarovar est au Tibet ? J'ai toujours cru qu'il se trouvait au Cachemire. »

Je ne lui ai rien dit des licornes et du lama volant, car j'ai encore des doutes à leur sujet. En revanche, lorsque je lui ai parlé des bandits khampa, M. Mazumdar a tranquillement déclaré : « N'ayez crainte, le seigneur Siva vous protégera. »

Nous avons décidé de partir de Kathgodam. J'ai envoyé à Saunders un télégramme disant que j'y arriverais le 1er août. Évidemment, nous avons décidé de nous alléger au maximum. Quand je lui ai dit cela, M. Mazumdar a dit : « Et mes oreillers, alors ? Je ne peux pas dormir sans eux. » J'ai promis de lui fabriquer une paire d'oreillers gonflables. Comme vêtements d'altitude, j'ai prévu des tricots en Shanklon. Pour le cas où l'un d'entre nous aurait des problèmes respiratoires, nous emportons de petites bouteilles d'oxygène. Tout compris, notre bagage individuel ne devrait pas excéder dix kilos. Nous achèterons des chaussures de montagne en chemin, à Almora.

On étouffe depuis quelques jours. C'est sans doute l'annonce de fortes pluies. Une fois au Tibet, nous serons hors d'atteinte de la mousson.

Je n'ai pas eu le loisir d'écrire mon journal au cours des derniers jours. Le 3, nous sommes partis de Kathgodam en taxi pour Almora. Puis nous avons fait deux cent quarante kilomètres à cheval pour atteindre Garbayang hier dans la soirée.

Ce village bhutiya est situé à une altitude de trois mille trois cents mètres. Nous sommes encore en Inde. A l'est coule le Kali. On aperçoit sur l'autre rive les épaisses forêts de pins du Népal. Pour atteindre Lipudhura, il faut franchir un col qui se trouve à une trentaine de kilomètres dans le nord. Au-delà de Lipudhura commence le Tibet.

Le mont Kailas et le lac Mansarovar se trouvent à une soixantaine de kilomètres de la frontière tibétaine. Ce n'est pas loin, mais le terrain est difficile et le froid mordant. En outre, on peut y rencontrer des dangers imprévisibles, qui ont découragé quatre-vingt-dix pour cent des Indiens de se risquer dans ces régions. Et cependant, les paysages que nous avons jusqu'à présent traversés ne sont qu'un avant-goût des splendeurs qui nous attendent.

Je vais maintenant décrire le groupe que nous formons. Outre Saunders et Kroll, un troisième Européen s'est joint à nous. Il s'appelle Ivan Markovitch. Russe de naissance, il vit en Pologne. Il parle assez bien anglais, mais avec un fort accent. Il est le plus jeune du groupe, et le plus grand. Il a les yeux bleus, une tignasse de cheveux bruns, le sourcil broussailleux et une moustache tombante. Nous avons fait sa rencontre à Almora. Il partait lui aussi pour le Tibet, par simple amour du voyage. Il s'est joint à nous dès qu'il a su que nous prenions la même direction. Il a l'air de quelqu'un de tout à fait convenable, même s'il sourit rarement et si, lorsque cela lui arrive, ses yeux restent froids. C'est la marque d'un tempérament renfermé ; sans doute est-ce pour cela que Kroll l'a pris en grippe.

Wilhelm Kroll est un personnage rondouillard, haut en couleur, chauve à l'exception de quelques mèches dorées au-dessus des oreilles. Il ne doit pas mesurer plus d'un mètre soixante-cinq, et jamais en le voyant on ne devinerait qu'il a escaladé à quatre reprises le Matterhorn. Anthropologue hautement qualifié, Kroll ne cache pas son profond intérêt pour tout ce qui est occulte. Il croit tout à fait possible l'existence au Tibet de licornes et de lamas volants. J'ai observé qu'il a souvent des absences, en sorte qu'il faut l'appeler au moins trois fois avant qu'il vous réponde.

Saunders a cinq ans de moins que moi. Bel homme bien bâti, il a le front large et des yeux bleus pétillants d'intelligence. Pour se préparer à ce voyage, il a lu au cours des dernières semaines au moins une douzaine d'ouvrages sur le Tibet. Il ne croit pas à la magie ni aux pouvoirs des yogis, et ses récentes lectures ne l'ont pas converti. Il n'aime rien tant qu'une discussion animée avec Kroll et saisit la moindre occasion de s'y livrer.

Mon voisin M. Mazumdar nous accompagne dans le seul but de faire un pèlerinage. Assis en cet instant à quelques mètres de nous, il sirote du thé dans une coupelle de cuivre, sans quitter des yeux un yak attaché à un piquet. « Toute la vie durant, nous ne voyons la queue du yak qu'au bout d'un manche d'argent que l'on agite lors des cérémonies religieuses, nous a-t-il fait remarquer ce matin. Aujourd'hui, je la vois pour la première fois à sa vraie place. » En fait, c'est la queue du yak blanc qui sert aux cérémonies. Ici, ils sont noirs pour la plupart. Ils sont très précieux comme bêtes de charge. Nous emmenons avec nous quatre yaks, six chevaux et huit porteurs.

M. Mazumdar m'a averti que je ne devais pas m'attendre à ce qu'il soit de pair à compagnon avec mes amis étrangers. « Vous connaissez peut-être soixante-quatre langues ; moi, je n'en parle qu'une seule. Je suis capable de dire ''bonjour'' et ''bonsoir'', et si jamais l'un d'eux glisse dans un précipice, je pourrais à la rigueur lui lancer ''adieu''. Mais cela s'arrête là. Vous n'avez qu'à leur dire que je suis un de ces sadhus indiens qui ont fait vœu de silence, et que je fais un pèlerinage. »

Assis devant une échoppe de bhutiya, les trois Européens et moi-même prenons notre petit déjeuner de thé et de *sampa*. Le *sampa* est une boulette de froment que l'on mange après l'avoir trempée dans du thé ou de l'eau. Ici, le thé n'a rien à voir avec notre thé indien. C'est un thé pressé en briquettes qui vient de Chine. Au lieu de lait et de sucre, on le prend avec du beurre et du sel. La tasse est un cylindre de bambou ; on y verse les trois ingrédients et on tourne jusqu'à ce qu'ils se soient délayés. Les Tibétains usent de ce breuvage au moins trente fois par jour. Ils consomment aussi de la viande de chèvre et de yak. Nous avons emporté un stock important de riz, de lentilles, de légumes, de café et de conserves. Si jamais nous arrivons au bout de ces réserves, il nous faudra nous rabattre sur mes pilules nutritives.

La lecture du journal de Willard a décuplé ma curiosité. Un groupe de marchands de laine tibétains est arrivé aux aurores. J'ai interrogé l'un d'eux au sujet des licornes. Il s'est borné à sourire, comme à un enfant qui vient de poser une question idiote. A ma question sur les lamas volants, il a répondu que tous les lamas étaient capables de voler. Je ne crois pas qu'il puisse servir à grand-chose de s'adresser à ces gens. Sans trop y croire, nous espérons tous avoir autant de chance que Willard. Au 11 mars, il parle d'un lieu qu'il ne nomme pas, mais dont il donne la position à 33°3 nord et 84° est. Selon la carte, cela se trouve en gros à cent soixante kilomètres dans le nord-est du mont Kailas, au centre d'une région appelée le Chang Thang. Il semble s'agir d'un terrain difficile et inhospitalier, où la végétation est rare. Quelques tribus nomades y passent de temps à autre, mais nul n'y vit. Cet endroit est également connu pour ses vents glacés, capables de vous geler les os à travers sept épaisseurs de lainage.

Nous sommes prêts à tout endurer du moment que nous atteignons notre objectif. « Soyez sans inquiétude, nous dit M. Mazumdar. Ma foi en le seigneur du mont Kailas est la garantie du succès de votre mission. »

Vallée du Purang, le 14 août

Nous avons établi notre campement près d'un torrent à une altitude d'environ quatre mille mètres. Le soleil va se coucher derrière les hautes montagnes enneigées qui nous entourent, et l'atmosphère se rafraîchit de minute en minute. Il est étonnant de constater que, même si les nuits sont extrêmement froides, durant le jour la température monte souvent à 32 °C.

Sachant que nous monterions en altitude, j'ai rappelé à tout le monde que nous disposions d'oxygène. Saunders et

M. Mazumdar y ont eu recours. Originaire de la région montagneuse de Meinigen et donc accoutumé à la haute altitude, Kroll n'en a pas eu besoin. Markovitch nous a lui aussi assuré avoir l'habitude de l'altitude. Il devait bientôt s'apercevoir qu'il avait commis une idiotie. Nous étions en train de cheminer paisiblement. Cinq d'entre nous chevauchaient en tête, suivis des porteurs et des yaks portant les bagages. Alors que nous franchissions le col de Gurupla, à une altitude de cinq mille trois cents mètres, nous avons perçu un bruit étrange à travers le sifflement du vent et le bruit des sabots. L'un d'entre nous venait d'éclater d'un rire de dément.

J'ai bien vite compris que ce rire provenait de celui qui ouvrait la marche, M. Ivan Markovitch. Nous avons fait halte.

Markovitch s'était lui aussi arrêté. Voici qu'il mettait pied à terre et oscillait dangereusement tout au bord du sentier, au-dessus d'un à-pic de six cents mètres. En allant près de lui, M. Mazumdar pouvait espérer avoir l'occasion de dire « adieu ».

Saunders, Kroll et moi descendons à notre tour de cheval pour courir jusqu'à lui. A ses yeux vitreux, comme à son rire, on pouvait penser qu'il avait perdu la tête. Ce qu'il lui arrivait n'avait rien de mystérieux. L'oxygène contenu dans l'atmosphère commence de se raréfier à partir de quatre mille mètres. Certains individus ne souffrent alors que d'une vague gêne respiratoire, certains vont jusqu'à s'évanouir, d'autres présentent des signes de folie, se mettant hystériquement à rire ou pleurer. Markovitch appartient à cette dernière catégorie. Sans doute nos porteurs n'avaient-ils jusqu'alors jamais rencontré pareille expédition, car ils avaient eux aussi éclaté de rire. Et le rire de neuf hommes se répercutait maintenant dans la montagne.

« Et si on lui donnait un bon coup à la mâchoire ? » m'a tout à coup demandé Kroll.

Je ne saisissais pas. « Pourquoi le frapper ? C'est le manque d'oxygène qui le fait rire comme cela.

— Justement. Dans l'état où il est, on n'arrivera pas à lui en faire prendre. Si je l'estourbis, on pourra lui coller le masque sur le nez. »

Sans me laisser le temps de répondre, Kroll a pivoté pour appliquer un violent coup de poing sur la mâchoire de notre compagnon. Celui-ci est revenu à lui dix minutes plus tard. Il a regardé autour de lui avec une expression désorientée, il s'est frotté la mâchoire puis, sans rien dire, est remonté en selle. Et nous sommes repartis.

Assis autour du feu, nous nous sommes mis à parler de créatures fantastiques. Au cours des âges, tant d'êtres étranges sont nés de l'imagination des hommes ! Certes, certains spécialistes disent qu'ils ne sont pas entièrement imaginaires. Les vestiges du souvenir de créatures vues aux temps préhistoriques auraient perduré longtemps dans la conscience collective. Combinant son imagination à ce souvenir diffus, l'homme aurait ainsi créé de nouvelles espèces. Peut-être le ptérodactyle et l'aepyornis sont-ils en fait les géniteurs de nos mythiques Garuda et Jatayu, ainsi que du Roc de l'histoire de Sindbad, cet oiseau géant dont les petits se nourrissaient d'éléphants. Les contes populaires égyptiens parlent de l'oiseau Ti-Bennu, devenu plus tard le phénix des mythes européens. Il y a aussi le dragon, qui apparaît à la fois dans les mythologies orientale et occidentale. La différence est qu'il figure chez les Occidentaux un monstre mauvais, alors qu'en Orient il s'agit d'une divinité tutélaire.

C'est moi qui ai finalement changé de sujet, orientant la conversation sur Markovitch, qui se reposait dans sa tente. Nous ne lui avions pas encore dit la vraie raison de notre expédition ; je pensais le moment venu de lui en faire part et de l'instruire des risques que nous allions courir dans cette région du Chang Thang. Si sachant tout cela il souhaitait toujours nous accompagner, il serait le bienvenu. Dans le cas contraire, il pourrait soit partir de son côté, soit rebrousser chemin et regagner l'Inde.

« Vous avez raison, a aussitôt approuvé Kroll. Pourquoi s'embarrasser de quelqu'un qui est incapable d'avoir des rapports normaux avec les autres. Allons le trouver sur-le-champ. »

Nous sommes allés tous les trois jusqu'à la tente de Markovitch. Il était assis sur ses talons tout au fond, à peine visible dans la pénombre. Saunders l'a instruit sans tourner autour du pot du journal de Willard et de notre quête de la licorne. Avant même qu'il ait terminé, Markovitch a lâché : « Des licornes ? Mais j'en ai vu des douzaines. Encore aujourd'hui, j'en ai vu une. Vous ne l'avez pas vue ? »

Nous nous sommes regardés. Il ne semblait pas que Markovitch cherchât à être drôle. Kroll a quitté la tente en fredonnant un air allemand. Visiblement, il considérait Markovitch comme un cas désespéré. Saunders et moi sommes sortis à notre tour. Kroll a posément allumé sa pipe, puis, sur le ton de la raillerie : « Vous n'imaginez tout de même pas que c'est le manque d'oxygène qui lui fait tenir ce genre de propos ? » Saunders et moi ne répondions pas. « Mon idée est que nous avons emmené avec nous un cinglé », a-t-il conclu en partant avec son appareil-photo vers un gros rocher sur lequel était gravé le mantra tibétain *Om Mani Padme um.*

Markovitch est-il vraiment fou ? Ou bien fait-il seulement semblant de l'être ? Tout ceci ne me plaît guère.

M. Mazumdar semble être le plus insouciant de notre groupe. Cela fait quarante ans que je le connais. Je ne lui ai jamais prêté la moindre imagination. Jamais il n'a fait le moindre cas de mes travaux scientifiques, et mes inventions les plus marquantes ne lui ont jamais inspiré ni admiration ni émerveillement. En revanche, les voyages qu'il a faits avec moi à l'étranger — un en Afrique et un autre dans le Pacifique — semblent avoir suscité quelque changement en lui. Un dicton anglais prétend que les voyages élargissent l'esprit. Cela s'est plus que vérifié dans le cas de M. Mazumdar. Aujourd'hui, il est venu me souffler à l'oreille un vieux poème qui compare le mont Kailas à un million de lunes et en parle comme de la demeure de créatures célestes. Il est évident qu'il croit encore aux très anciennes légendes se rapportant au Kailas. Je crains qu'il ne soit déçu lorsqu'il sera confronté à la réalité. En ce moment, il observe les porteurs en train de préparer leur repas ; ils vont dîner de viande de chèvre sauvage.

J'aperçois dans le lointain un groupe d'hommes à cheval qui descendent le sentier que nous suivrons demain. Jusqu'à maintenant je ne distinguais qu'un conglomérat de points mouvants. Je les vois distinctement à présent. Nos porteurs semblent être fort émus de les voir. Qui peuvent être ces gens ?

La température dégringole. Nous n'allons pouvoir rester dehors beaucoup plus longtemps.

14 août, dix-sept heures

Il vient de se passer quelque chose d'important.

Le groupe que nous avions vu approcher était une bande de voleurs khampa. Nous avons maintenant la preuve qu'il s'agit de ceux qui ont attaqué Willard.

Vingt-deux cavaliers, sabre et dague passés dans la ceinture de leur épaisse tunique, un antique tromblon en bandoulière. Outre les hommes et leurs montures, il y avait cinq chiens du Tibet à poil laineux.

Lorsque la bande n'a plus été qu'à une centaine de mètres, deux de nos porteurs, Rabsang et Tundup, sont venus en courant nous dire : « S'il vous plaît, sortez toutes vos armes. » J'ai demandé au premier s'il comptait que nous les remettions aux bandits. « Non, non ! Les armes étrangères les impressionnent beaucoup. Si vous ne les montrez pas, ils vont s'en aller avec tout ce que nous avons. »

Nous possédions trois armes à feu, un Enfield et deux Mannlicher autrichiens. En plus, j'avais avec moi mon invention, le narco-pistolet. Cette arme, qui fait « ping » au lieu de « bang », lance une aiguille qui endort instantanément la victime. Saunders et Kroll sont allés prendre leurs fusils dans la tente. Markovitch, lui, ne donnait pas signe de vie. Je tenais à avoir les mains libres pour le cas où il me faudrait faire usage du narco-pistolet ; cependant, trois fusils entre les mains de deux hommes pouvait sembler bizarre, aussi en ai-je fait remettre un à M. Mazumdar. Il a commencé par protester, puis il a pris l'arme et, tournant le dos aux bandits, il s'est placé face au torrent, dans la position du garde-à-vous.

Les bandits étaient tout près. Les énormes chiens se sont mis à aboyer. Ces bandes de pillards attaquent habituellement les campements de nomades et les détroussent de tous leurs biens. Se dresser contre eux sans l'armement adéquat est synonyme de mort. Ils ne sont pas faciles à traquer dans ce pays sauvage et enneigé, mais lorsque la police tibétaine parvient à se saisir d'eux, on leur coupe la tête et la main droite. J'ai aussi entendu dire que

175

ces hommes ont si peur du châtiment qu'ils pourraient encourir en enfer, qu'après chaque razzia ils se livrent à un rituel d'absolution, faisant à pied le tour du mont Kailas ou escaladant une falaise pour hurler l'aveu de leurs forfaits à la face du monde.

Celui qui chevauchait en tête semblait être le chef. Un nez camus, des oreilles parées d'anneaux, un visage profondément ridé démentaient sa jeunesse. A travers les fentes de ses yeux, il considérait avec méfiance le groupe que nous formions. Les autres demeuraient immobiles, attendant un mot de leur chef.

Celui-ci a mis pied à terre, s'est approché de Kroll. « *Peling ?* » a-t-il fait d'une voix sourde. *Peling* est le mot dont les Tibétains se servent pour désigner un Européen. J'ai répondu à la place de Kroll. « Oui, ai-je dit, *Peling*. » Mais comment avait-il fait pour deviner que Kroll était européen ?

On entendait quelque part le croassement rauque d'un freux. A part cela, le fond sonore était constitué par le bruissement du torrent. Le bandit s'est approché de M. Mazumdar. Je ne sais où mon ami est allé chercher l'idée de s'incliner devant cet homme, mais l'autre a trouvé cela hautement comique. Il a donné du poing dans la crosse du fusil de M. Mazumdar et s'est mis à rire grassement.

J'ai vu que Kroll levait lentement son arme. La colère faisait saillir les veines de son front. J'ai dû, d'un geste vif, le forcer à se contenir. Cependant, Saunders était venu se poster à côté de moi. « Ils ont eux aussi un Enfield », a-t-il fait sans desserrer les dents.

Reportant mon attention sur le groupe des bandits, j'ai vu que l'un d'entre eux, individu à l'air particulièrement féroce, portait effectivement un fusil Enfield. D'après le journal de Willard, nous savons qu'il possédait un Enfield. Ce fusil ne se trouvait pas parmi les quelques affaires qu'il a pu ramener à Almora. Ceci, ajouté au fait que le chef savait reconnaître un Européen lorsqu'il en voyait un, prouvait que c'était bien cette bande qui avait attaqué l'Anglais.

Mais nous n'y pouvions rien. Nous étions largement inférieurs en nombre. Je voyais bien qu'ils attendaient le moment propice pour passer aux choses sérieuses.

Je me demandais combien de temps allait durer ce jeu du chat et de la souris quand est survenue une diversion.

Markovitch a soudain émergé de sa tente. Il est parti en titubant vers les bandits. Les bras tendus vers les grands chiens, il criait : « Des licornes ! Des licornes ! »

Alors un des énormes molosses s'est ramassé sur lui-même et, avec un grondement effrayant, s'est élancé vers notre compagnon.

Avant même d'avoir atteint sa proie, il s'est effondré inanimé sur le sol. Le principal acteur de cette scène était bien sûr mon narco-pistolet. Depuis un moment j'en serrais la crosse à l'intérieur de ma poche. A l'instant crucial ma main avait jailli et opéré le tour de magie.

Markovitch s'était évanoui. Kroll et Saunders sont allés le prendre et l'ont ramené dans sa tente.

Et les bandits ? De ce côté-là, une incroyable transformation s'était opérée. Certains d'entre eux avaient mis pied à terre et s'étaient laissés tomber à genoux. Cependant que d'autres, toujours en selle, faisaient à mon adresse des gestes répétés d'obéissance. De son côté, le chef avait jugé plus prudent de regagner sa monture. Jamais je n'aurais imaginé que la menace combinée de ces vingt-deux bandits pût s'évanouir aussi vite.

Je suis allé vers celui qui avait l'Enfield. « Soit tu me remets ce fusil, lui ai-je dit, soit je vous fais subir à tous le même traitement qu'à ce chien. » Les mains toutes tremblantes, il m'a aussitôt tendu le fusil de Willard. Je me suis ensuite adressé à l'ensemble de la bande. « Vous avez pris ce fusil à un *Peling* ; je veux que vous me donniez tout ce que vous lui avez pris. »

Dans la minute, différents objets sortirent des fontes de selle : deux boîtes de saucisses, un rasoir Gillette, un miroir, une paire de jumelles, une carte déchirée du Tibet, une montre Omega et une sacoche en cuir. J'ai ouvert cette dernière et y ai trouvé deux livres d'édition courante sur le Tibet, l'un de Morecraft, l'autre de Tiffenthaler, portant chacun le nom de Willard écrit de sa main.

Ayant récupéré ces objets, j'allais ordonner aux bandits de s'en aller, quand, d'eux-mêmes, ils ont tourné bride pour reprendre dans la nuit tombante le chemin par lequel ils étaient venus.

Après avoir soulagé M. Mazumdar du Mannlicher, je suis allé voir comment se portait Markovitch.

Il était allongé les yeux fermés sur une natte. Sous le faisceau de ma torche, il a légèrement entrouvert les paupières. Voyant ses pupilles, j'ai aussitôt compris qu'il était sous l'empire d'une puissante drogue. Peut-être était-ce de là que lui venaient ses licornes. Des substances comme la cocaïne, l'héroïne ou la morphine sont tout à fait capables d'induire des hallucinations.

Un drogué dépendant comme Markovitch était un handicap pour notre expédition. Il nous fallait nous débarrasser soit de lui soit de sa dépendance à la drogue.

15 août, sept heures du matin

Quand hier soir Markovitch a, en dépit de notre insistance, voulu sauter le dîner, cela a achevé de me convaincre de son état. La drogue tend à supprimer l'appétit. Quand je lui en ai parlé, Saunders s'est mis à bouillir. « Il faut que nous l'interrogions sur-le-champ », a-t-il décidé. « Vous êtes trop coulants, tous les deux, a lancé Kroll. J'en fais mon affaire. »

Après le dîner, il est allé tirer Markovitch de sa tente et, le tenant par la peau du cou, il lui a sifflé à l'oreille : « Allez, montre-nous cette saloperie, sinon on t'enterre dans la neige et on te laisse pourrir sur place. Personne n'en saura jamais rien. »

En dépit de sa profonde hébétude, Markovitch avait blêmi. Il s'est libéré, a glissé la main dans sa trousse de toilette et en a sorti une brosse à cheveux qu'il a tendue à Kroll. J'y ai d'abord vu un nouveau symptôme de son état, mais Kroll, avec la sagacité de son peuple, a aussitôt compris que l'autre lui avait bien remis l'objet du délit. Sur une simple pression, le corps en bois de la brosse s'est ouvert comme un couvercle, révélant une réserve de cocaïne. Une seconde plus tard, la poudre blanche est allée se fondre dans l'atmosphère himalayenne.

Quand ce matin au petit déjeuner le Russe s'est servi quatre verres de thé, près d'une livre de viande de chèvre et une quantité considérable de *sampa*, nous avons compris que sa dépendance avait disparu en même temps que la drogue.

Il est deux heures trente de l'après-midi. Nous nous reposons au pied d'un monastère sur le chemin du lac Mansarovar. Nous avons vu en chemin de nombreux monastères, tous bâtis au sommet d'un à-pic et jouissant d'une vue magnifique sur les montagnes. Il faut reconnaître aux lamas un sens certain du décor.

Au nord se dresse le pic du Gurla Mandhata, altitude huit mille trois cents mètres. De l'endroit où nous nous trouvons, on aperçoit les nombreux autres pics enneigés qui l'entourent. Plus loin, ce sont le grand lac et le mont Kailas, buts que s'est courageusement fixés M. Mazumdar.

Il va sans dire que nous n'avons pas vu jusqu'à présent la moindre licorne. Nous apercevons fréquemment des animaux, mais il ne s'agit que de chèvres sauvages, de moutons, d'ânes et de yaks. De temps à autre, nous rencontrons un lièvre ou un mulot. Nous savons que des cerfs et des ours vivent dans cette région, mais nous n'en avons encore vu aucun. La nuit dernière, des hyènes sont venues rôder autour du campement ; je pouvais voir leurs yeux qui luisaient à la lumière de ma torche.

Saunders a presque perdu espoir. Il pense que Willard se trouvait lui aussi sous l'empire d'une drogue, et que licornes et lamas volants n'étaient que des hallucinations. Il semble oublier que nous avons vu à Almora le major Horton et son rapport sur Willard. Ce rapport ne parlait pas de drogue.

Le monastère près duquel nous avons fait halte n'est occupé que par un seul lama. Nous l'avons rencontré il y a un instant. Cela a été une expérience singulière. Nous n'avions pas projeté d'entrer dans ce monastère mais, lorsque Rabsang nous a parlé de ce lama solitaire qui n'avait pas parlé depuis cinquante ans, cela a aussitôt éveillé notre curiosité. Nous avons monté les cent marches et sommes entrés dans le bâtiment sacré.

L'intérieur de cette construction de granite était froid et humide. Sur une étagère au fond de la grande salle étaient rangées sept ou huit statuettes représentant le Bouddha. Trois d'entre elles, au moins, étaient d'or massif. Sur l'étagère il y avait aussi une lampe allumée, ainsi qu'un pot rempli d'une grosse motte de beurre. C'est le beurre, et non l'huile, qui sert à l'éclairage dans ces monastères. M. Mazumdar a désigné un objet posé lui aussi sur l'étagère. « Je suis certain que cela sert aux rites tantriques. » Il s'agissait d'un crâne humain.

« Pas seulement, ai-je ajouté. On dit que les lamas boivent le thé dans des crânes. » A ces mots, M. Mazumdar a légèrement tressailli.

Le lama se trouvait dans une petite salle de l'aile orientale du monastère. Assis en tailleur à même le sol, près d'une petite fenêtre, il faisait lentement, inlassablement tourner son moulin à prières. C'était un personnage étique, au crâne rasé, aux membres très amaigris par de longues heures d'immobilité. Nous l'avons salué un à un. Il nous a donné à chacun un fil rouge en signe de bénédiction.

Nous avons pris place en face de lui sur un long banc. Il nous regardait et semblait attendre. Comme il avait fait vœu de silence, il fallait que nous lui posions des questions auxquelles il lui serait possible de répondre par signes. J'ai immédiatement posé la question cruciale.

« Y a-t-il des licornes au Tibet ? »

Le lama nous a souri pendant une bonne minute. Cinq paires d'yeux le fixaient intensément. Enfin, il a hoché la tête, une fois, deux fois, trois fois. En d'autres termes, il y en avait. Mais voici qu'il bougeait à nouveau la tête, cette fois de droite à gauche et de gauche à droite, ce qui voulait dire qu'il n'y en avait pas.

Quel genre de réponse était-ce là ? Cela signifiait-il qu'il y avait eu des licornes à une époque, mais qu'elles avaient disparu ? « Demandez-lui où elles sont », me glissa Kroll à l'oreille. Markovitch était lui aussi très attentif.

J'ai posé la question. En réponse, le lama a levé une main chiffonnée et a montré le nord-ouest. C'était la direction que nous suivions, vers le Chang Thang, par-delà le mont Kailas. Une troisième question me brûlait les lèvres.

« Vous êtes yogi, ai-je fait, vous voyez dans l'avenir. S'il vous plaît, dites-nous si nous rencontrerons cette merveilleuse créature. »

Le lama s'est mis à sourire et a hoché la tête par trois fois.

Kroll ne se tenait plus d'excitation. « Demandez-lui s'il a entendu parler de lamas volants », a-t-il fait à haute voix.

Je me suis à nouveau adressé à l'ermite. « J'ai lu les

accomplissements de votre illustre saint Milarepa. Il se disait capable d'aller d'un lieu à un autre à travers les airs. Existe-t-il encore aujourd'hui des saints tibétains qui sont capables d'une telle prouesse ? »

J'ai noté un durcissement dans le regard du lama. Il a secoué énergiquement la tête en signe de négation.

En partant, nous lui avons laissé un peu de thé et de *sampa*. Tous les voyageurs et nomades qui passent par ici et sont au courant de son existence déposent quelques provisions au monastère.

Sitôt sortis, une discussion a opposé Kroll et Saunders. Celui-ci n'accordait aucune créance aux réponses du lama. « D'abord il dit oui, aussitôt après il dit non. Quand on se contredit de la sorte, cela revient à ne rien dire du tout. Je crois que nous avons perdu notre temps. »

Kroll interprétait de façon totalement différente les réponses du lama. « Pour moi, c'est clair comme de l'eau de roche : "Oui" veut dire que la licorne existe, "Non" signifie qu'il nous demande de ne pas la chercher à cause du danger que cela implique. Évidemment, c'est là une mise en garde que nous allons ignorer. »

C'est alors que Markovitch s'est pour la première fois joint à la conversation. « A supposer que nous rencontrions une licorne, a-t-il dit, est-ce que nous avons une idée de ce que nous en ferons ?

— Nous n'y avons pas encore réfléchi, a répondu Kroll. Il faut avant tout en dénicher une. »

Markovitch n'a rien ajouté. On dirait qu'il a quelque chose derrière la tête. Maintenant qu'il a laissé tomber la cocaïne, il paraît bien plus énergique. J'ai aussi remarqué qu'il portait un grand intérêt aux lamaseries. Quand nous sommes ressortis après notre entrevue avec le lama silencieux, il est resté en arrière pour visiter un peu plus avant le monastère. L'ancien drogué est-il en train de se découvrir l'âme religieuse ? Je finirais par me le demander.

Le 19 août, dix heures du matin

Nous venons de franchir le col de Chusung-la et d'entrevoir le lac Ravana et, derrière, le dôme blanc du mont Kailas. En langue tibétaine, le lac Ravana est appelé Rakshasa

Tal, et le Kailas devient le Kang Rimpoche. Si ce lac n'a pas de caractère spécialement sacré, en revanche nos porteurs se sont prosternés dès qu'ils ont aperçu le Kailas. M. Mazumdar est resté tout d'abord quelque peu interdit, puis, ayant réalisé ce qu'était cette masse enneigée, il a débité à la suite douze des appellations de Siva, il s'est laissé tomber à genoux et s'est mis à toucher encore et encore le sol avec son front. Le lac Mansarovar se trouve à l'est du lac Ravana. Nous pensons y arriver demain dans la journée.

Le 20 août, quatorze heures trente

Nous avons fait halte près d'une source d'eau chaude dans le nord-ouest du Mansarovar. Nous serons au lac sitôt franchie la hauteur qui se dresse sur notre gauche.

Aujourd'hui, pour la première fois de la semaine, nous avons tous pu prendre un bain. Un nuage de vapeur plane au-dessus de cette source, qui contient du soufre et est très chaude. Après un tel bain, on se sent comme refait à neuf.

Je n'aurais pas ouvert ce journal sans un incident survenu il y a quelques instants.

M. Mazumdar et moi occupions un coin du bassin, tandis que les autres se baignaient un peu plus loin. Comme je sortais de l'eau, Kroll s'est approché. « Quelque chose de pas clair, a-t-il fait à voix basse, sur le ton d'une banale conversation.

— Qu'est-ce qu'il y a ? ai-je demandé.

— Markovitch.

— Markovitch ?

— Plutôt louche comme type.

— Qu'est-ce qu'il a encore fait ? » Je n'ignorais pas que Kroll avait une aversion particulière pour Markovitch.

Toujours de ce ton amical et feutré, l'Allemand a poursuivi. « Nous avons enlevé nos anoraks derrière ce rocher là-bas. Je suis ressorti de l'eau le premier. L'anorak de Markovitch était posé à côté du mien. La poche intérieure était exposée, et je n'ai pu résister à l'envie de regarder ce qu'elle contenait. J'y ai trouvé des lettres. Toutes affranchies de timbres anglais, et toutes adressées à un certain John Markham.

— Markham ?

— Vous ne saisissez pas ? John Markham, alias Ivan Markovitch.

— Ces lettres, où étaient-elles adressées ?

— Une adresse à New Delhi. »

John Markham... John Markham... ce nom me disait quelque chose. Où l'avais-je déjà vu ? Oui, dans les journaux trois semaines plus tôt. John Markham avait été arrêté pour contrebande d'or. Condamné à une peine de prison, il était parvenu à s'évader en tuant un gardien. Cet homme était sujet britannique, mais il vivait en Inde depuis un bon moment. Il avait jadis dirigé un hôtel à Naini Tal. Un prisonnier en cavale... Et maintenant le voilà qui se joint à nous en essayant de se faire passer pour un Russe vivant en Pologne. Il a choisi le Tibet pour planque. Peut-être a-t-il d'autres crimes à son actif. J'étais reconnaissant à Kroll de son indiscrétion. Je lui ai dit ce que je savais de ce John Markham.

L'Allemand continuait de sourire car Markovitch pouvait nous voir de l'endroit où il se trouvait. Il ne fallait pas qu'il se doute que nous parlions de lui.

Kroll a eu un rire sonore, puis sans se départir de son sourire il a baissé la voix. « Je suggère que nous le plantions là. Qu'il meure de froid dans le blizzard. Ce sera son châtiment. »

L'idée ne me plaisait pas. « Non, ai-je dit, qu'il vienne avec nous. A notre retour, nous le livrerons en douceur à la police. »

Kroll a fini par se ranger à mon idée. Il va falloir trouver le moyen de mettre Saunders au courant, et ne pas quitter Markovitch des yeux.

Le 20 août, dix-sept heures trente

Dans *Meghdoot*, le célèbre poème sanscrit de Kalidasa, on trouve la description des cygnes et des lotus du Mansarovar. Nous avons aperçu des compagnies d'oies sauvages, mais encore ni cygnes ni lotus. Ceci mis à part, on peut dire que les descriptions qu'en font les guides de voyage sont bien loin de la réalité. Je ne saurais dire ce que l'on ressent en découvrant subitement cette vaste étendue d'eau d'un bleu transparent au milieu d'un univers de sable et de rocaille.

Au nord du lac se dressent les sept mille trois cents mètres du mont Kailas, et au sud, comme jailli des eaux, le Gurla Mandhata. Tout autour, ce ne sont que montagnes parsemées de monastères dont les dômes dorés étincellent au soleil.

Nous avons dressé nos tentes à une dizaine de mètres de l'eau. Il y a de nombreux pèlerins aux alentours. Certains font le tour du lac en rampant, d'autres en marchant, un moulin à prières à la main. Le Mansarovar est un lieu sacré pour les hindouistes comme pour les bouddhistes. Cet endroit est géographiquement important car quatre grands fleuves prennent leur source à proximité : le Brahmapoutre, le Sutlej, l'Indus et le Karnali.

Non content de témoigner sa révérence en restant allongé face contre terre, M. Mazumdar obligea nos amis étrangers à se mettre à genoux en scandant sans désemparer : « Sacré, sacré, plus sacré encore que la vache ! » Ce qu'il a fait ensuite était loin d'être prudent. Il est allé tout au bord de l'eau, a enlevé son anorak, puis il a joint les mains et s'est jeté dans le lac. Cette eau glacée l'a instantanément engourdi. Kroll est parvenu à le tirer sur la berge et, pour ramener un peu de chaleur dans son organisme, il l'a forcé à boire de l'eau-de-vie.

M. Mazumdar est à nouveau d'aplomb. Il dit qu'il avait depuis vingt-six ans de l'arthrite dans le pouce gauche et que l'eau du lac l'en a complètement débarrassé. Il en a rempli trois bouteilles ; il dit qu'il nous en aspergera de temps en temps pour nous éviter les ennuis.

Non loin d'ici, à Gianima, se tient un important marché où nous avons acheté des fruits séchés, des pains de lait de yak gelés et des tentes de laine. Kroll a fait l'emplette d'un assortiment d'os, parmi lesquels un fémur humain dont il est possible de jouer comme d'une flûte. Il dit qu'ils lui serviront pour ses travaux sur la sorcellerie. Dans le bazar, Markovitch nous a faussé compagnie. Il nous a rejoints voici seulement dix minutes. Nous n'avons pu savoir ce qu'il rapportait dans son sac. Saunders a réussi à se défaire de son pessimisme. Il estime à présent que même si nous ne trouvons pas la licorne, la sublime beauté du Mansarovar, l'atmosphère extraordinairement limpide et revigorante de ce lieu font plus que justifier ce périple.

Demain, nous nous mettrons en route pour le redouté Chang Thang. Notre destination est située par 33°3 nord et 84° est.

En ce moment, M. Mazumdar est assis dans le sable, dos au soleil et face tournée vers le Kailas ; il a son *Gita** de poche ouvert dans la main. Nous allons maintenant découvrir dans quelle mesure sa foi pourra nous aider à surmonter les épreuves.

Au Chang Thang, le 22 août, 30°5 de lat. nord, 81°8 de long. est

Il est huit heures du matin. Nous campons à proximité d'un petit lac.

Inquiétante découverte cette nuit. A minuit, alors que la température était tombée bien en dessous de zéro, Kroll a fait irruption dans ma tente et m'a réveillé pour m'annoncer qu'il venait de trouver des objets hautement suspects dans les affaires de Markovitch. « Mais... comment se fait-il qu'il ne se soit pas aperçu que vous fouilliez ses affaires, ai-je demandé, un peu interdit.

— Aucun risque. Hier soir, j'ai mélangé des barbituriques à son thé. Ce n'est pas pour rien que j'ai appris la prestidigitation. Il dort à poings fermés.

— Et qu'avez-vous découvert ?

— Venez voir par vous-même. »

Enveloppé dans une épaisse couverture, j'ai suivi Kroll jusqu'à sa tente. Sitôt entré, un violent parfum, vaguement familier, m'a assailli les narines. « Qu'est-ce que c'est que cette odeur ? ai-je demandé à Kroll.

— C'est une des choses dont je vous parlais. Tenez, dans cette boîte. »

J'ai pris la boîte en fer-blanc qu'il me tendait. Je l'ai ouverte, et en suis resté bouche bée. « Mais, c'est du musc ! ai-je balbutié.

— Ça ne fait aucun doute », a dit Kroll.

Je savais qu'il y avait des porte-musc au Tibet, espèce qui achevait de s'éteindre dans le reste du monde. Il s'agit d'une variété de cervidé, de la taille d'un chien moyen, dont le

----

· * L'un des livres sacrés des Hindous *(NdA)*.

mâle porte dans l'estomac cette substance extraordinaire. On utilise le musc en parfumerie. Un gramme de cette substance coûte presque trente roupies. En Inde, peu après le commencement de notre voyage, j'ai rencontré à Askot un négociant qui exporte sous licence du gouvernement pour près de quatre cent mille roupies de musc. « Est-ce là quelque chose que Markovitch aurait acheté au bazar de Gianima ? ai-je demandé.

— Acheté ? a fait Kroll d'une voix pleine de sarcasme. Et tout cela, vous croyez aussi qu'il l'a acheté ? »

Il venait d'ouvrir un sac dont il tirait un paquet de laine noire de yak, cinq statuettes de Bouddha en or, une *vajra* en or sertie de gemmes, et vingt ou trente pierres précieuses en vrac.

« Nous avons parmi nous un authentique voleur, a repris Kroll. Je suis absolument certain qu'il a volé ce musc dans quelque boutique de Gianima, tout comme il a fait main basse sur ces objets dans le monastère. »

J'ai alors compris pourquoi il s'était attardé dans le saint lieu. Ce gredin possède une belle audace !

Ce matin, rien dans l'attitude de Markham ne suggérait qu'il se doutait de quoi que ce soit quant à notre fouille de la nuit dernière. Nous avons tout remis en place avant de partir. Nous avons également découvert qu'il détient une arme, un Colt 45 automatique. Il ne nous en avait rien dit. Cette arme ne pourra lui être d'aucune utilité, car Kroll en a enlevé les cartouches.

Au Chang Thang, le 25 août, 32°5 de lat. nord, 82° de long. est, seize heures trente

La nature terrifiante du Chang Thang nous apparaît peu à peu. Nous sommes à une altitude de cinq mille cinq cents mètres. Le terrain est fort accidenté. Il nous faut parfois monter d'une ou deux centaines de mètres pour franchir un défilé, puis redescendre ensuite.

Depuis hier matin, nous n'avons pas rencontré le plus chétif arbuste ni le moindre buisson. Tout autour de nous, ce n'est que sable, roche et neige. On retrouve gravé sur des rochers le mantra des Tibétains *Om Mani Padme um*. Ici, nul monastère, même si nous voyons de temps à autre un *chorten*. D'habitations humaines, pas la moindre trace.

Avant-hier, nous nous sommes tout à coup retrouvés au milieu d'un camp de nomades. Pas loin de cinq cents hommes, femmes et enfants, avec leurs moutons, leurs chèvres, leurs ânes, leurs chiens et leurs yaks, installés sur un large territoire parsemé de tentes de laine. Des gens joyeux, souriants, apparemment heureux de cette existence errante qui est la leur. Nous en avons interrogé un ou deux au sujet des licornes, mais sans obtenir de réponses satisfaisantes.

Quand ils ont appris que nous montions dans le nord, ils ont tout fait pour tenter de nous en dissuader. « Dans le nord il y a le Dung-lung-do, disaient-ils. On ne peut pas aller de l'autre côté. » D'après la description qu'ils en faisaient, ce Dung-lung-do serait un endroit cerné d'une haute muraille que l'on ne peut franchir. Ces gens ne l'avaient jamais vue, mais les Tibétains ont connu son existence de toute éternité. Des lamas s'y seraient rendus dans les temps anciens, mais personne depuis trois ou quatre cents ans.

La mise en garde du lama muet ne nous ayant pas dissuadés, pourquoi aurions-nous écouté les conseils de ces nomades ? Nous avons avec nous le journal de Charles Willard. A nous de marcher sur ses brisées.

Le 28 août, au Chang Thang, 32°8 de lat. nord, 82°2 de long. est

Nous campons près d'un lac. Nous avons vu aujourd'hui une chose bien singulière. Nous étions en train de longer une vallée, des nuages menaçants s'amoncelaient au-dessus de nous, quand Saunders s'est tout à coup écrié : « Hé, qu'est-ce que c'est que ça ? »

Plus haut, là où le bout de la vallée gagnait en altitude, nous avons aperçu une douzaine de formes qui se profilaient en contre-jour. Cela ressemblait à un troupeau. Rabsang était incapable de se prononcer. Le plus bizarre était que ces silhouettes restaient absolument immobiles.

A l'instigation de Kroll, je les ai observées à l'omniscope. « Est-ce que vous voyez des cornes ? » répétait l'Allemand. Non, je n'en voyais pas.

Le mystère fut élucidé dix minutes plus tard. Il s'agissait d'ânes sauvages, près d'une vingtaine, dressés, raides et inertes, dans la neige. Rabsang nous a expliqué ce qu'il leur était arrivé. Lors d'une tempête, ils avaient été ensevelis sous la neige. Celle-ci avait fondu avec l'été.

Nos vivres s'amenuisent. Nous avons acheté un peu de thé et de beurre aux nomades contre de l'argent indien ; il nous en reste encore pour quelque temps. Nous sommes tous profondément dégoûtés de la viande. Mais les légumes se font rares. Tous, nous prenons de temps en temps quelques-unes de mes pilules nutritives. Bientôt, nous n'aurons rien d'autre que ces pilules. Kroll a eu recours à toutes sortes d'incantations, glanées dans le monde entier, du Mexique à Bornéo, afin de savoir si nous aurons ou non la chance de rencontrer un troupeau de licornes. Il a obtenu cinq « oui » et six « non ».

A une distance de cinquante à soixante kilomètres dans la direction que nous suivons, on dirait que le terrain s'élève abruptement. A travers les jumelles, il semble monter vers une montagne en forme de table. Est-ce là le Dung-lung-do ? Nous ne sommes plus éloignés de la position dont Willard parle dans son journal.

Mais où est situé son monastère, le Thokchum-Gompa ? Où se trouve ce fameux lama volant, âgé de deux cents ans ?

Et où se cache le troupeau de licornes ?

Le 29 août

Expérience électrisante dans un monastère de toute beauté.

Aucun doute qu'il s'agit du Thockchum Gompa du journal de Willard. Nous en avons d'ailleurs découvert la preuve. Peu avant d'atteindre le monastère, nous avons en effet trouvé sur le bord du chemin un rocher sur lequel étaient gravées les lettres CRW, qui sont de toute évidence les initiales de Charles Roxton Willard. Je dois mentionner le fait que tous nos porteurs, à l'exception de Rabsang et de Rundup, ont décampé. Je doute que Rabsang nous abandonne jamais. Il n'est pas seulement fidèle, mais il n'a en lui pas la moindre trace de superstition. Cela est fort rare chez les Tibétains. Les autres ont emmené avec eux tous les chevaux et quatre yaks. Il ne nous reste que deux yaks. Ils

CHATEL-GUYON
SALLE DES FETES

Ce soir à 20 h 45

aquarelle

Groupe vocal

LA CHANSON FRANCAISE

Bécaud, Brel, Fugain

SPECTACLE MUSICAL

"OU S'EN VONT ..."

portent les tentes et les bagages les plus lourds. Nous sommes obligés de porter le reste nous-mêmes. Et comme nos chevaux ont disparu, il nous faut aller à pied. Une grande excitation règne au sein du groupe, car le haut plateau est maintenant tout proche. Tous, nous pensons qu'il s'agit du Dung-lung-do, même si nous ne savons toujours pas en quoi consiste celui-ci. Saunders penche lui pour la muraille d'une forteresse. Pour ma part, j'ai le sentiment que ce mur cache un lac qui ne figure sur aucune carte du Tibet.

Le monastère que je vais maintenant décrire est resté dissimulé à notre vue jusqu'au dernier moment, masqué qu'il était par un éperon granitique. Dès que nous avons contourné ce dernier, il nous est apparu, arrachant à tous des exclamations de surprise. Bien que le soleil fût voilé par des nuages, ce monastère nous a semblé carrelé d'or de sa base jusqu'à ses clochetons.

Nous nous sommes approchés avec le sentiment croissant que l'endroit abritait fort peu d'occupants. Un grand silence enveloppait toute chose. Une énorme cloche de bronze était suspendue au-dessus du seuil. Lorsque Kroll en a actionné le battant, elle a tinté avec une sonorité toute solennelle dont l'écho persista pendant presque trois minutes.

Dès l'entrée, nous avons réalisé que personne n'était venu là depuis fort longtemps. Il y avait tout ce à quoi il est permis de s'attendre dans un monastère, si ce n'est des êtres humains. Les appels répétés de Saunders ne recevant aucune réponse, nous avons décidé d'explorer les lieux. Il était visible que Kroll entendait ne pas laisser Markovitch s'y promener tout seul. Il y avait bien trop d'objets précieux un peu partout. Saunders a franchi la porte qui flanquait le hall d'entrée sur la gauche, tandis que M. Mazumdar et moi avons passé celle qui s'ouvrait sur la droite. Le sol était recouvert d'une épaisse couche de poussière ainsi que de preuves du passage de rats. Nous venions de pénétrer dans une pièce quand un cri soudain nous a figés sur place.

C'était la voix de Saunders. Bientôt rejoints par Kroll et Markovitch, nous nous sommes précipités, arrivant simultanément sur le seuil de la pièce qui donnait sur le côté gauche du hall. Immobilisé dans le passage, Saunders semblait cloué sur place à la vue de quelque chose qui se trouvait au fond de cette salle basse et humide.

J'ai vite compris la raison de son cri.

A l'autre bout de la pièce, un très vieux lama était assis en tailleur devant un bureau, buste incliné en avant, yeux grands ouverts mais vides, ses mains décharnées reposant sur un manuscrit.

Il était mort. Impossible de savoir quand et de quelle façon il était mort, ni pour quelle raison son cadavre ne s'était pas décomposé.

Nous étions maintenant tous à l'intérieur de la pièce. Saunders avait repris ses esprits. Il est depuis quelque temps malade des nerfs, ce qui explique son extrême frayeur. Je suis certain que si notre expédition est couronnée de succès, il recouvrera la santé.

Nous avons porté notre attention sur les objets qui se trouvaient là. Tout un côté était occupé par un assortiment de récipients de cuivre et de bronze. Pour un peu, on se serait cru dans une cuisine. A l'examen, nous avons vu que ces pots et ces jattes contenaient diverses substances liquides ou visqueuses, des poudres de différentes couleurs. Je n'ai su en identifier aucune.

Le mur opposé était garni de rayonnages qui croulaient sous de très anciens grimoires. En dessous, il y avait posées sur le sol huit paires de bottes tibétaines brodées de motifs compliqués et cousues de pierres précieuses. Alentour, le sol était jonché d'ossements, de crânes et de peaux d'animaux. « Voilà bien le premier monastère où je me sens en présence de la magie la plus ancienne ! » s'est extasié Kroll.

N'éprouvant nulle crainte, je me suis approché du lama. Je voulais voir ce qu'il était en train d'étudier à l'instant de sa mort. J'avais remarqué que le manuscrit était rédigé en sanscrit, non en tibétain.

J'ai exercé une douce traction sur le volume. Il a glissé sous les doigts du cadavre dont la main est restée suspendue à quelques centimètres au-dessus de la table.

J'ai tout de suite vu qu'il s'agissait d'un écrit scientifique. Je l'ai emporté et nous avons tous les cinq quitté la pénombre du monastère pour ressortir à l'air libre.

Il est deux heures de l'après-midi. Je suis assis sur une roche plate devant le monastère. Au cours de ces deux heures, j'ai parcouru une bonne partie du parchemin. Il en ressort que les Tibétains ne bornaient pas leur étude à la

190

religion. Cet écrit a pour titre *Uddayansutram*, ce qui signifie *Traité du vol*. On y apprend de quelle façon il est possible de s'élever dans les airs grâce à des moyens purement chimiques. J'avais déjà entendu parler de ce traité. Il y avait jadis à Taxila en Inde un érudit du nom de Vidyutdhamani. Il rédigea ce traité et partit peu après pour le Tibet. Il ne revint jamais en Inde, et nul en Inde ne fut jamais instruit de ses travaux scientifiques.

Le traité établit la description d'une substance appelée *ngmung*. Par l'effet de ce *ngmung*, le poids d'une personne peut être réduit à tel point qu'une légère brise suffit à l'emporter « comme la plume arrachée au dos d'un cygne ». La composition du *ngmung* est indiquée, mais les ingrédients me sont totalement inconnus. Le défunt lama devait les connaître et savoir préparer le produit. Il s'agit sûrement de ce lama vieux de deux cents ans en compagnie duquel a volé Willard. Le malheur est que ce lama soit mort au cours de ces six derniers mois, sinon nous aurions peut-être pu voler comme l'a fait cet Anglais.

Tout le monde se prépare à repartir, aussi dois-je m'arrêter là.

Le 30 août, 33°3 de lat. nord, 84° de long. est

D'après son journal, Willard a campé ici. Nous avons fait de même. En comptant Rabsang, nous sommes maintenant réduits à cinq. Markham alias Markovitch a disparu, et sans doute a-t-il persuadé Tundup de partir avec lui. J'avais à plusieurs reprises remarqué qu'ils faisaient des conciliabules. Je n'y avais pas fait autrement attention, mais je comprends maintenant qu'ils préparaient leur coup. En plus, ils ont emmené les deux yaks qu'il nous restait.

C'est arrivé hier après-midi. Deux heures après avoir quitté le monastère, nous avons été pris dans une tempête aveuglante, une vraie purée de pois. Quand au bout d'une demi-heure cela s'est apaisé, nous nous sommes aperçus que les deux hommes et les deux yaks manquaient à l'appel. Voyant qu'en plus un fusil avait disparu, nous avons compris qu'il ne s'agissait pas d'un accident. Markham nous avait délibérément faussé compagnie et n'avait nulle intention de revenir. D'un certain côté, nous voilà bien débarrassés, mais on peut cependant regretter qu'il échappe à toute punition. Kroll en est fort contrarié. Il dit que c'est le résultat de la façon dont nous l'avons dorloté. De toute façon, rien ne sert de pleurer sur du lait renversé. Nous allons continuer sans lui vers Dung-lung-do.

La muraille de Dung-lung-do est maintenant visible en permanence. Elle n'est plus qu'à six à huit kilomètres. Même à cette distance on peut voir que sa hauteur est considérable. Elle semble faire une quarantaine de kilomètres de long. De l'endroit où nous sommes, nous ne pouvons évidemment pas évaluer sa profondeur.

Voici que le vent se lève à nouveau. Il faut que je regagne ma tente sans tarder.

Le 30 août, treize heures trente

Le ciel est couvert. Le blizzard fait rage. Il fait autant de bruit qu'un million de flûtes suraiguës. C'est une bonne chose que nous ayons pu nous procurer ces tentes de laine à Gianima.

Il semble que nous allons devoir passer tout le reste de la journée enfermés.

Le 30 août, dix-sept heures

Un des moments forts de notre expédition a eu lieu cet après-midi. Vers trois heures, la tempête a un peu molli, et Rabsang a préparé le thé au beurre pour tout le monde. Même si la fureur du vent était un peu retombée, une rafale faisait battre de temps à autre les rabats de la tente.

Ayant goûté son thé, M. Mazumdar venait d'émettre un « Aaahh ! » de contentement lorsque nous avons entendu un hurlement. Posant nos tasses nous sommes sortis en hâte.

« A l'aide ! A l'aide ! Sauvez-moi !... »

Nous avons aussitôt identifié cette voix. Jusqu'à présent, Markham avait toujours parlé anglais avec un accent russe ; pour la première fois, il s'exprimait comme un pur Britannique. Mais où pouvait-il bien se trouver ? Rabsang se tournait dans toutes les directions d'un air stupéfait. Les appels semblaient provenir tantôt du sud, tantôt du nord.

« Le voilà ! » a soudain lancé Kroll.

Il ne regardait ni vers le sud ni vers le nord, mais en l'air, juste au-dessus de nous.

L'imitant, j'ai eu la stupéfaction de voir Markovitch arriver en planant vers nous. Il descendait comme une feuille morte, puis une rafale lui faisait reprendre de l'altitude. Il ne cessait d'agiter les bras et de hurler pour attirer notre attention.

Nous n'avions pas le temps de nous demander comment il en était arrivé là ; la question était de savoir de quelle façon nous allions le ramener au sol, car le vent tourbillonnaire ne cessait de le promener en tous sens.

« Qu'il reste donc là-haut », a tout à coup hurlé Saunders. Aussitôt, Kroll s'est rangé à son avis. Ils y voyaient l'un comme l'autre une excellente façon de punir ce gredin. Cependant, le scientifique qui est en moi leur a représenté qu'à moins de le ramener au sol, nous ne pourrions savoir comment il s'y était pris pour voler ainsi. Pendant ce temps, Rabsang, mettant à profit l'intelligence de sa race, n'avait pas perdu son temps. Il avait noué une pierre au bout d'une longue corde et se tenait prêt à la lancer à Markham. Kroll l'en a empêché. L'autre se trouvait juste au-dessus de nous. « Laisse d'abord tomber ce fusil », lui a lancé l'Allemand. Je n'avais pas remarqué que Markham tenait un fusil. Comme un enfant obéissant, il a lâché l'arme, qui est allée percuter le sol à trois ou quatre mètres de là, soulevant une grande gerbe de neige.

Alors, Rabsang a lancé la pierre avec beaucoup d'adresse. Markham l'a attrapée, et le Tibétain a vigoureusement halé la corde à lui.

J'ai alors remarqué que Markham avait aux pieds les bottes ouvragées dont nous avions vu huit paires au monastère. De plus, le sac qu'il portait à l'épaule s'est avéré contenir des objets en or venant de ce même monastère. Le voleur était en quelque sorte pris la main dans le sac. Cependant, il venait de nous révéler quelque chose de si excitant que tous nous avons oublié de le réprimander.

Après nous avoir faussé compagnie, Markham est retourné au monastère pour se charger de divers objets précieux se trouvant dans le grand hall. Puis il s'est rendu dans la pièce où se trouvait le lama pour s'approprier une paire de ces bottes cousues de pierres précieuses. Les ayant chaussées, il s'est aussitôt senti plus léger. Il venait de parcourir trois ou quatre kilomètres en compagnie de Tundup quand une tempête s'est levée venant du sud, qui a contrecarré ses projets en le soulevant de terre pour le repousser dans notre direction.

Quel n'était pas l'étonnement de Saunders et de Kroll en entendant ce récit ! C'est alors que je leur ai parlé du manuscrit et de la substance *ngmung*. « Mais enfin, quel rapport y a-t-il entre cette substance et les bottes ? m'a demandé Kroll.

— Le texte fait le lien entre le *ngmung* et la semelle, ou le dessous du pied. Je suis certain que le revêtement intérieur de la botte a été enduit de cette substance. »

Cela aurait pu être le point de départ d'une controverse, mais ayant vu de leurs propres yeux Markham en train de voler, Saunders et Kroll ont accepté mon explication. Évidemment, nous sommes maintenant tous désireux de posséder de telles bottes. Rabsang est parti nous en chercher au monastère.

Markham est maintenant complètement soumis. Nous lui avons confisqué tout ce qu'il a dérobé. Nous rapporterons ces objets lors du retour. J'espère que Markham se comportera bien dorénavant, même si me trotte dans la tête ce proverbe sanscrit qui dit qu'en dépit de lavages répétés, le charbon ne perd jamais de sa noirceur.

Le 31 août

Nous avons dressé nos tentes à deux cents mètres environ de la muraille de Dung-lung-do. Nous avons chaussé nos bottes dans l'attente du vent puissant qui nous emportera par-dessus ce mur vers la région inconnue qu'il défend. L'obstacle fait une cinquantaine de mètres de haut. Même le géologue Saunders n'a pas su nous dire de quel type de roche il est fait. Elle est remarquablement lisse et dure, de teinte bleuâtre, et ne ressemble à aucune variété connue. Kroll en a plusieurs fois tenté l'escalade en sautant avec ses bottes, mais en l'absence d'un fort vent il n'a pu s'élever que de six à dix mètres. Je brûle de curiosité quant à ce qui se trouve de l'autre côté. Saunders en tient toujours pour une forteresse. J'ai pour ma part cessé de me perdre en conjectures.

On aperçoit dans le lointain une importante troupe qui approche. S'il s'agit de bandits, tout espoir est perdu. Seul le climat magique de Dung-lung-do nous a donné l'énergie de parcourir à pied les quinze kilomètres qui nous ont amenés jusqu'ici. Mais à présent l'énergie commence à nous faire défaut. Le vent souffle dans la mauvaise direction, aussi les bottes ne nous sont-elles d'aucune utilité. Notre réserve de vivres s'amenuise dangereusement et il ne reste plus beaucoup de mes pilules. En cet état, et en dépit de nos armes, nous ne pourrions guère opposer de résistance à un groupe de bandits. Nous avons déjà perdu l'un des nôtres, encore qu'il ait été seul responsable de ce qui est arrivé. Son incurable appât du gain a été cause de sa fin.

M. Mazumdar a dit voici quelques instants : « Je ne sais ce que révèle votre omniscope, mais le Kailas, le Mansarovar et le Dung-lung-do m'ont doué d'une vue surnaturelle. Je vois que ces gens sont des nomades. Ils ne nous feront aucun mal. »

Eh bien, s'il s'agit effectivement de nomades, non seulement ils ne nous feront pas de mal, mais peut-être seront-ils en mesure de nous procurer des chevaux, des yaks et des vivres, toutes choses dont nous avons besoin pour notre voyage de retour.

Le 1er septembre à treize heures quarante, au terme d'une attente de trente-sept heures, l'état du ciel et un roulement de tonnerre nous ont indiqué qu'allait survenir le type de vent que nous attendions. J'ai réveillé M. Mazumdar, qui faisait un somme. Puis, tous bottés, nous nous sommes placés dos à la tempête qui approchait, face à la muraille. Le coup de vent est survenu au bout de trois minutes. Étant le plus léger du groupe, j'ai été le premier à prendre mon essor.

Il m'est difficile de décrire cette extraordinaire expérience. La tempête nous a propulsés à toute vitesse dans les cieux. La muraille semblait tout à la fois se ruer vers nous et dégringoler vers le bas, révélant à chaque instant un peu plus du paysage qu'elle nous avait dissimulé. Nous avons d'abord aperçu au loin des pics enneigés ; puis nous a été révélé non pas un lac, ni un fort, mais un merveilleux monde verdoyant.

Nous allions pénétrer dans ce monde. Derrière moi, Kroll, Saunders et Markham se laissaient aller qui en anglais, qui en allemand, à un émerveillement enfantin, cependant que M. Mazumdar s'exclamait : « Ma parole, c'est le jardin du paradis ! Nous voici en paradis ! »

Dès que nous avons passé l'aplomb de la muraille, la tempête a cessé comme par magie. A la manière d'une « plume arrachée au dos d'un cygne », nous nous sommes posés en douceur sur l'herbe verte. Je dis « verte » parce qu'elle était verte, mais je n'avais en fait jamais vu herbe semblable. « Vous savez quoi, Shonku ? a lancé Saunders. Pas un seul de ces arbres qui me soit connu. Nous nous trouvons au milieu d'un environnement entièrement nouveau. »

Il a aussitôt entrepris de ramasser des spécimens de la flore locale, tandis que Kroll s'activait avec son appareil-photo. M. Mazumdar se roulait dans l'herbe en répétant : « Restons ici. Pourquoi retourner à Giridih ? Cette terre est magnifique. Nous pourrions y faire pousser n'importe quoi. » Quant à Markham, il a enlevé ses bottes et s'est engagé entre les hautes herbes.

Le Dung-lung-do paraissait au moins aussi vaste que le Mansarovar. Il consistait en une vallée concave, que ceinturait la muraille. Si la paroi extérieure de ce mur était verticale, son côté intérieur épousait en revanche la forme d'une pente douce. Saunders ne s'était pas trompé, pas un seul spécimen de la flore ne nous était connu. Les arbres croulaient de fleurs et de fruits de toutes les couleurs, dont nous reconnaissions le parfum, capiteux, exquis, pour celui qui avait à certains instants franchi la muraille pour descendre embaumer notre campement.

Progressant par bonds, nous étions tous quatre en train d'explorer les lieux, quand, tout à coup, nous avons entendu un fort bruissement. Une seconde plus tard, quelque chose passa devant le soleil, projetant sur nous une ombre gigantesque. Alors, nous l'avons vu : c'était un oiseau colossal, aussi grand que cinq cents aigles réunis ensemble, au plumage aussi resplendissant que celui du macao d'Amérique du Sud.

« *Mein Gott !* » a fait Kroll d'une voix brisée. Il allait pointer son arme, mais d'un geste je l'en ai empêché. Un fusil eût été sans effet contre une telle créature, et puis j'avais tout à coup l'intuition qu'elle ne nous ferait aucun mal.

De fait, l'oiseau a décrit trois cercles au-dessus de nous, puis, avec un cri prolongé, semblable au hurlement d'une corne de brume, il est reparti dans la direction d'où il était venu. « Roc, ai-je prononcé involontairement.

— Quoi ? a fait Kroll, interdit.

— Roc, ou Rukh. L'oiseau géant du conte de Sindbad.

— Nous ne sommes pas au pays des *Mille et Une Nuits*, Shonku, a dit l'Allemand avec impatience. Tout ça est bien réel. Nous avons les pieds posés sur le sol, nous pouvons toucher ces feuilles, et l'odeur de ces fleurs, nous la sentons avec notre nez. »

Revenant de ses émerveillements, Saunders a fait observer : « Il n'y a pas le moindre insecte, je trouve cela vraiment singulier. »

Nous avions repris notre progression. Soudain, nous nous sommes heurtés à un obstacle. C'était la première fois que nous rencontrions, sur le sol, un objet qui ne fût pas végétal. Il s'agissait d'un rocher de quatre mètres de haut, de teinte bleu-vert. Il nous bouchait le passage, et il était difficile de dire sur quelle longueur il s'étendait de chaque côté. D'une puissante détente, Kroll a fait un bond qui l'a porté jusqu'au sommet. Alors, a eu lieu quelque chose de tout à fait inattendu : le rocher s'est soulevé et s'est mis en branle vers la gauche. « Mon Dieu, mais c'est un dragon ! » s'est écrié Kroll.

Oui, c'était bien un dragon. Une de ses pattes passait maintenant devant nous. Cependant, Kroll avait sauté du dos de la bête pour nous rejoindre. Nous regardions éberlués ce qui nous était visible de ce corps monstrueux. Il lui a fallu près de trois minutes pour défiler devant nous en faisant battre son énorme queue écailleuse, et disparaître dans l'épais feuillage. Cette fumée qui planait maintenant sur la forêt devait provenir des naseaux de la bête.

Saunders, assis dans l'herbe, s'était pris la tête entre les mains. « Voyez-vous, Shonku, a-t-il soupiré, face à ces étranges créatures, au milieu de cet environnement inconnu, je me fais l'effet d'un rustaud complètement inculte.

— Moi, cela me plaît, ai-je répondu. Je suis heureux de

découvrir que cette bonne vieille planète réserve encore des surprises, même à des savants tels que nous. »

Je n'ai pas compté toutes les merveilles que nous avons vues au cours de l'heure suivante. Nous avons regardé un phénix brûler, puis renaître de ses cendres et s'envoler vers le soleil. Nous avons vu le Griffon, le Simurgh des légendes perses, l'Anka des Arabes, le Nork des Russes, le Feng et le Kirne des Japonais. Au nombre des sauriens, nous avons vu le Basilic, dont le regard fixe peut tout réduire en cendres, et la Salamandre, qui ne craint pas le feu, et qui, comme pour confirmer sa légende, passait et repassait dans les flammes et en ressortait indemne. Nous avons également vu un éléphant à quatre défenses qui ne pouvait être qu'Oiravat, monture du dieu indien Indra. Ce placide pachyderme broutait le feuillage d'un arbre dont l'éclat aveuglant prouvait qu'il ne pouvait s'agir que du Parijat, l'arbre céleste de notre mythologie.

Mais le Dung-lung-do n'est pas seulement une magnifique forêt. Nous avions peut-être longé sa muraille septentrionale sur deux kilomètres, lorsque nous nous sommes retrouvés en terrain découvert et dépourvu de végétation. Ce n'était que gigantesques rochers percés de cavernes d'où nous parvenaient des grondements et des rugissements à faire frémir. Nous avons compris que nous étions arrivés dans la région des démons, des *rakshasas* de légende, communs aux contes de fées de toutes les nations. Encouragé par le fait qu'aucune de ces créatures ne s'intéressait à nous, j'envisageais d'explorer une de ces cavernes, quand un hurlement frénétique nous a fait tourner la tête avec ensemble.

« Des licornes ! Des licornes ! Des licornes ! »

C'était la voix de Markham. Cela venait de derrière un gros rocher.

« Est-ce qu'il aurait retouché à la cocaïne ? a fait Kroll.

— Je ne crois pas », ai-je dit en m'élançant en direction du rocher. Parvenu de l'autre côté, mon cœur manqua de s'arrêter à la vue d'un spectacle unique.

Un important troupeau d'animaux, jeunes et adultes, passait devant nous. Ils semblaient issus du croisement d'une vache et d'un cheval. Ils étaient d'une teinte gris-rose et possédaient sur le front une corne unique et torsadée. C'est pour ces créatures que nous nous étions lancés dans cette expédition. Il s'agissait incontestablement de licornes, les licornes de Pline l'Ancien, les licornes de la mythologie occidentale, les licornes figurant sur les sceaux de Mohenjo-Daro.

Tous ces animaux ne se déplaçaient pas. Certains broutaient de l'herbe, certains s'ébattaient, d'autres se donnaient pour jouer des coups de corne. A l'instar de Willard, c'est tout à fait sains d'esprit que nous contemplions ce spectacle.

Mais où était passé Markham ?

La question venait de me traverser l'esprit quand nous avons été témoins d'une scène étrange. Émergeant du troupeau, Markham courait à toutes jambes en direction de la muraille. Il tenait entre ses bras un petit de licorne.

« Arrêtez cette canaille ! a crié Saunders. Il faut l'arrêter !

— Mettez vos bottes ! Mettez vos bottes ! » a hurlé Kroll à l'adresse de Markham.

Et de s'élancer à sa poursuite. Nous avons fait de même, progressant par bonds.

S'il avait entendu l'avertissement, peut-être Markham n'eût-il pas agi comme il l'a fait. Ayant gravi la pente herbue, il a sauté et disparu à notre vue.

Rabsang nous a raconté plus tard qu'il s'était élancé vers Markham dès qu'il l'avait vu sauter du haut de la muraille. Mais il n'y avait plus rien à faire pour lui. Au terme de cette chute d'une soixantaine de mètres, tous ses os étaient broyés. Interrogé au sujet de la licorne, Rabsang a dit en secouant la tête qu'il n'avait retrouvé que le corps de Markham, et nulle trace d'un petit de licorne.

Mes conclusions sur le Dung-lung-do ont trouvé grâce aux yeux de Kroll et de Saunders. Mon idée est que si un nombre important de gens croient sur une grande période de temps à une créature imaginaire, la pure force de cette croyance est capable d'amener cette créature à la vie avec toutes les caractéristiques que lui a attribuées l'imagination des hommes. Le Dung-lung-do serait donc le lieu du séjour terrestre de ces créatures. Peut-être est-ce le seul endroit de ce genre sur la planète. Tenter d'en ramener quelque chose dans le monde de la réalité est vain, ce qui explique pourquoi la licorne a disparu dès que Markham a franchi la limite de cet univers imaginaire.

Ici s'éclaire l'attitude du lama silencieux nous disant à la fois oui et non : la licorne existe, mais pas dans la réalité. Mais ce même lama avait tort lorsqu'il répondait par la négative à la question sur le vol. Peut-être ne connaissait-il pas l'existence du manuscrit.

« Donc, nous n'aurons rien à montrer en rentrant à la maison, a dit M. Mazumdar au terme de la discussion.

— Je le crains, ai-je répondu. Il est douteux que les photographies de Kroll donnent quoi que ce soit, et nos bottes ne pourront nous faire voler, car le manuscrit dit que le *ngmung* fond à la chaleur de la plaine. »

M. Mazumdar a poussé un soupir.

« Avez-vous réalisé que nous revenons plus jeunes de vingt ans ? ai-je dit.

— Comment cela ? »

J'ai fait tomber les flocons de neige qui s'amoncelaient sur ma barbe et ma moustache.

« Eh, mais vous avez le poil noir ! s'est exclamé M. Mazumdar.

— Tout comme vous. Tenez, regardez dans ce miroir. »

A cet instant est entré Saunders. Lui aussi avait l'air rajeuni, et une de ses incisives, naguère cariée, était redevenue saine. Il a eu un profond soupir de soulagement.

« Ce ne sont pas des voleurs, mais des nomades, a-t-il dit. Dieu merci ! »

J'entends le pas des chevaux, l'aboiement des chiens, les cris des hommes, des femmes et des enfants. Le ciel s'est dégagé et le soleil brille à nouveau.

Om Mani Padme um !

Cet ouvrage a été composé par Facompo
et imprimé sur les presses de l'imprimerie Bussière
à Saint-Amand-Montrond (Cher)
pour le compte des éditions Presses de la Renaissance

Achevé d'imprimer en octobre 1987

Dépôt légal : août 1987.
N° d'impression : 2467.

Imprimé en France